Las familias católicas
celebran el domingo
2019–2020

Kara O'Malley

Nihil Obstat
Rev. Sr. Daniel G. Welter, JD
Canciller
Arquidiócesis de Chicago
12 de noviembre de 2018

Imprimatur
Excmo. Sr. Obispo D. Ronald A. Hicks
Vicario General
Arquidiócesis de Chicago
12 de noviembre de 2018

El *Nihil Obstat* e *Imprimatur* son declaraciones oficiales de que un libro está libre de errores doctrinales y morales, conforme al canon 827. No existe ninguna implicación en estas declaraciones de que quienes han concedido el *Nihil Obstat* e *Imprimatur* estén de acuerdo con el contenido, opiniones o expresiones expresas. Tampoco ellos asumen alguna responsabilidad legal asociada con la publicación.

Las reflexiones fueron escritas por Kara O'Malley y la introducción fue escrita por Margaret Brennan.

Traducción: Ricardo López; edición: Christian Rocha; cuidado de la edición: Víctor R. Pérez; diseño: Anna Manhart; tipografía: Kari Nicholls. Portada: Eleanor Davis.

Impreso en los Estados Unidos de América

ISBN 978-1-61671-463-5

FCCD20

"Amarás al Señor, tu Dios, con todo el corazón, con toda el alma, con todas las fuerzas. Las palabras que hoy te digo quedarán en tu memoria, se las inculcarás a tus hijos y hablarás de ellas estando en casa y yendo de camino, acostado y levantado".

(Deuteronomio 6:5-7)

Índice

Cómo usar

Las familias católicas celebran el domingo

Esta breve guía semanal se basa en el evangelio de cada domingo y fiesta de guardar del año escolar. El objetivo de esta guía es ayudar a los padres de familia a involucrar a sus hijos en la misa para que vayan aprendiendo de la riqueza y hondura de su fe, y la valoren más. A menudo, ir a misa se vuelve en un evento semanal que comienza y termina en la puerta de la iglesia. La breve reflexión sobre el extracto del evangelio quiere provocar la reflexión sobre las Escrituras, y dar pie a la conversación familiar antes y después de la misa. Se ofrecen también sugerencias para preguntar y comentar, e incluso para llevar la reflexión al seno del propio hogar, mediante alguna actividad familiar. Es necesario tener en cuenta que a veces puede haber otras necesidades, inquietudes o ideas más relevantes para su vida familiar en ese momento particular. Si es así, involucre a sus hijos en eso.

Usted notará que cada niño es capaz de introducirse en la liturgia mediante sus sentidos. Cantar, observar los colores que cambian con cada temporada litúrgica, sentarse donde puedan ver los gestos de la misa son puntos que les ayudarán a ir formando la fe. Recuerden siempre que, como el Rito del Bautismo señala, ustedes los padres de familia, son los primeros y más importantes maestros de sus hijos. Esperamos que este librito enriquezca la vida de fe de toda su familia.

8 de septiembre de 2019

Vigesimotercer Domingo del Tiempo Ordinario

Escuchar la palabra

Lucas 14:25–33

En el nombre del Padre, y del Hijo, y del Espíritu Santo.

En aquel tiempo, caminaba con Jesús una gran muchedumbre y él, volviéndose a sus discípulos, les dijo: "Si alguno quiere seguirme y no me prefiere a su padre y a su madre, a su esposa y a sus hijos, a sus hermanos y a sus hermanas, más aún, a sí mismo, no puede ser mi discípulo. Y el que no carga su cruz y me sigue, no puede ser mi discípulo.

Porque, ¿quién de ustedes, si quiere construir una torre, no se pone primero a calcular el costo, para ver si tiene con qué terminarla? No sea que, después de haber echado los cimientos, no pueda acabarla y todos los que se enteren comiencen a burlarse de él, diciendo: 'Este hombre comenzó a construir y no pudo terminar'.

¿O qué rey que va a combatir a otro rey, no se pone primero a considerar si será capaz de salir con diez mil soldados al encuentro del que viene contra él con veinte mil? Porque si no, cuando el otro esté aún lejos, le enviará una embajada para proponerle las condiciones de paz.

Así pues, cualquiera de ustedes que no renuncie a todos sus bienes, no puede ser mi discípulo".

Reflexionar sobre la palabra

La gracia de Dios es gratuita pero no barata. Jesús les pide a sus seguidores que entiendan el costo del discipulado antes de continuar con él, y que no se engañen sobre lo que es ser cristiano. Cada uno de nosotros paga un precio por seguir a Jesús. Si unos pierden familia o amigos, otros abandonan riqueza y popularidad. El sacrificio es inevitable bajo el signo de la cruz, pero no insoportable. Seguir a Jesús requiere compromiso y sacrificio. Cuando decidimos seguir a Jesús, abrimos nuestro corazón para recibir la gracia de Dios.

...... CAMINO A MISA

¿Hay alguna decisión difícil de tomar que estén sopesando?

CAMINO A CASA ......

Jesús dijo que ser su discípulo requeriría sacrificio. Piensen en las decisiones que tienen que tomar. ¿Cómo escoge un seguidor de Jesús?

Vivir la palabra

En familia, hagan una lista de las características de los discípulos de Jesús. Enseguida, piensen en los modos como se pueden ayudar unos a otros para ser mejores discípulos. ¿Qué malas costumbres han adoptado que los alejan de Jesús? Quizá puedan integrar alguna práctica nueva como dedicar un tiempo a orar en familia, ayudar en la misa o ser voluntarios en algún proyecto. Esto los acercará a Jesús.

15 de septiembre de 2019

Vigesimocuarto Domingo del Tiempo Ordinario

Escuchar la palabra

Lucas 15:1–7

En el nombre del Padre, y del Hijo, y del Espíritu Santo.

En aquel tiempo, se acercaban a Jesús los publicanos y los pecadores a escucharlo; por lo cual los fariseos y los escribas murmuraban entre sí: "Este recibe a los pecadores y come con ellos".

Jesús les dijo entonces esta parábola: "¿Quién de ustedes, si tiene cien ovejas y se le pierde una, no deja las noventa y nueve en el campo y va en busca de la que se le perdió hasta encontrarla? Y una vez que la encuentra, la carga sobre sus hombros, lleno de alegría, y al llegar a su casa, reúne a los amigos y vecinos y les dice: 'Alégrense conmigo, porque ya encontré la oveja que se me había perdido'. Yo les aseguro que también en el cielo habrá más alegría por un pecador que se arrepiente, que por noventa y nueve justos, que no necesitan arrepentirse".

Reflexionar sobre la palabra

En respuesta al reclamo de los fariseos porque recibe a los pecadores, Jesús les ofrece la parábola de la oveja perdida. Dios es tan amoroso y comprensivo que su misericordia no conoce fronteras. Él ama a los que ya son fieles y auténticos, pero se regocija cuando un pecador arrepentido, vuelve a él.

...... CAMINO A MISA

Vamos a escuchar la parábola de la oveja perdida. Si usted perdió algo importante, ¿qué haría para encontrarlo? ¿Se dirigiría a Jesús para que lo guíe?

CAMINO A CASA ......

¿Se ha sentido perdido alguna vez? ¿Se ha vuelto a Dios en busca de ayuda para arrepentirse? ¿Qué significa perdonar a los que buscan reconciliarse con nosotros? ¿Cómo muestra usted misericordia?

Vivir la palabra

El de la reconciliación es un sacramento de alegría. ¡Nos alegramos por volver al redil! Alégrese en el amor y la misericordia de Dios. Aparte un tiempo para que todos los miembros bautizados de la familia se acerquen a este sacramento. Lleve a sus hijos pequeños también; muéstreles dónde pueden sentarse tranquilamente ante la Eucaristía y dígales que oren mientras esperan.

Después, conversen sobre cómo los hizo sentir el sacramento. Compartan cómo compartirán el amor de Dios con los demás.

22 de septiembre de 2019

Vigesimoquinto Domingo del Tiempo Ordinario

Escuchar la palabra

Lucas 16:10-13

En el nombre del Padre, y del Hijo, y del Espíritu Santo.

En aquel tiempo, Jesús dijo a sus discípulos: "El que es fiel en las cosas pequeñas, también es fiel en las grandes; y el que es infiel en las cosas pequeñas, también es infiel en las grandes. Si ustedes no son fieles administradores del dinero, tan lleno de injusticias, ¿quién les confiará los bienes verdaderos? Y si no han sido fieles en lo que no es de ustedes, ¿quién les confiará lo que sí es de ustedes?

No hay criado que pueda servir a dos amos, pues odiará a uno y amará al otro, o se apegará al primero y despreciará al segundo. En resumen, no pueden ustedes servir a Dios y al dinero".

Reflexionar sobre la palabra

Jesús pinta su raya en el evangelio de hoy: nadie puede servir a dos señores. Si amamos la riqueza, el poder y el prestigio, no podemos amar a Dios. Si para nosotros la riqueza y el poder son tan grandes como Dios, e invertimos la vida en conseguirlos, no dejaremos tiempo ni energía para buscar a Dios. Si amamos a Dios, hemos de orientar nuestra vida hacia él, y sabiamente emplear para su gloria los recursos que nos han sido confiados.

...... CAMINO A MISA

Si fuéramos tan ricos al grado de tener todo lo que necesitamos o deseamos, ¿tendríamos tiempo para Dios? ¿Por qué sí o por qué no?

CAMINO A CASA ......

¿Qué recursos nos ha dado Dios? ¿Nos hemos ganado su confianza?

Vivir la palabra

Dios nos llama a ser buenos administradores del mundo y de sus criaturas. El papa Francisco exploró esta vocación en su encíclica Laudato Si'. Esta semana, cobren conciencia de todos los recursos que consumen. Busquen las maneras como su familia puede reciclar, reutilizar y ahorrar recursos. ¿Qué cambio en el estilo de vida puede hacer su familia, para administrar mejor los recursos que se le han confiado?

29 de septiembre de 2019

Vigesimosexto Domingo del Tiempo Ordinario

Escuchar la palabra

Lucas 16:19–25

En el nombre del Padre, y del Hijo, y del Espíritu Santo.

En aquel tiempo, Jesús dijo a los fariseos: "Había un hombre rico, que se vestía de púrpura y telas finas y banqueteaba espléndidamente cada día. Y un mendigo, llamado Lázaro, yacía a la entrada de su casa cubierto de llagas y ansiando llenarse con las sobras que caían de la mesa del rico. Y hasta los perros se acercaban a lamerle las llagas.

Sucedió, pues, que murió el mendigo y los ángeles lo llevaron al seno de Abraham. Murió también el rico y lo enterraron. Estaba éste en el lugar de castigo, en medio de tormentos, cuando levantó los ojos y vio a lo lejos a Abraham y a Lázaro junto a él.

Entonces gritó: 'Padre Abraham, ten piedad de mí. Manda a Lázaro que moje en agua la punta de su dedo y me refresque la lengua, porque me torturan estas llamas'. Pero Abraham le contestó: 'Hijo, recuerda que en tu vida recibiste bienes y Lázaro, en cambio, males. Por eso él goza ahora de consuelo, mientras que tú sufres tormentos".

Reflexionar sobre la palabra

San Agustín describe el pecado como un "volverse hacia adentro" y preocuparse solo por uno mismo. En el evangelio de hoy, vemos al rico como un excelente ejemplo de ese pecado: es alguien tan egoísta que nunca ve al que yace a su puerta. Debemos reflexionar sobre las formas en que nos volvemos hacia adentro, cómo nos cegamos a las necesidades de los que están a nuestro lado. Nuestras acciones tienen consecuencias, pero también nuestra falta de acción. Dios nos llama a abrir nuestro corazón al necesitado y a compartir libremente lo que se nos ha dado.

...... CAMINO A MISA

Medite en las ocasiones en las que ha dejado de actuar y ayudar a alguien. ¿Cuándo se encerró en sí mismo para no ver al otro?

CAMINO A CASA ......

¿Cómo comparte sus dones con otras personas? ¿A quién de las personas cercanas, puede usted ayudar?

Vivir la palabra

Conversen todos sobre cómo pueden compartir sus dones y riquezas con personas que están en necesidad de ayuda. Hablen sobre alguna ocasión en la que dejaron de ayudar a alguien. Hagan un plan de acción y ejecútenlo. Oren para que cada uno de ustedes pueda volverse a Dios y a sus hijos.

6 de octubre de 2019

Vigesimoséptimo Domingo del Tiempo Ordinario

Escuchar la palabra

Lucas 17:5-10

En el nombre del Padre, y del Hijo, y del Espíritu Santo.

En aquel tiempo, los apóstoles dijeron al Señor: "Auméntanos la fe". El Señor les contestó: "Si tuvieran fe, aunque fuera tan pequeña como una semilla de mostaza, podrían decir a ese árbol frondoso: 'Arráncate de raíz y plántate en el mar', y los obedecería.

¿Quién de ustedes, si tiene un siervo que labra la tierra o pastorea los rebaños, le dice cuando éste regresa del campo: 'Entra enseguida y ponte a comer'? ¿No le dirá más bien: 'Prepárame de comer y disponte a servirme, para que yo coma y beba; después comerás y beberás tú'? ¿Tendrá acaso que mostrarse agradecido con el siervo, porque éste cumplió con su obligación?

Así también ustedes, cuando hayan cumplido todo lo que se les mandó, digan: 'No somos más que siervos, sólo hemos hecho lo que teníamos que hacer'".

Reflexionar sobre la palabra

Los discípulos piden un aumento de su fe. Jesús les cuenta esa parábola que exhorta a cumplir con toda fidelidad nuestros deberes con el amo (Dios). Nuestra fe crece cuando hacemos las tareas ordinarias de la vida con cuidado y cariño. Entre éstas están nuestro trabajo, nuestro servicio a las personas que amamos, nuestra responsabilidad con los vecinos, y el deber de nuestra oración a Dios. La fe se acrecienta en la quietud, en la rutina del trabajo diario.

...... CAMINO A MISA

¿Cuál es su trabajo diario? ¿Cuál es su actitud hacia su trabajo?

CAMINO A CASA ......

¿Qué significa para usted servir a Dios? ¿Es usted fiel al trabajo que él le ha llamado a hacer?

Vivir la palabra

A menudo vemos el trabajo como algo que soportar, pero no necesariamente lo gozamos. En contraste, santo Domingo Savio decía: "Nada es cansado ni penoso sabiendo que trabajas para un Señor que paga bien". ¿Cómo ha pagado Dios el trabajo de usted? Pregunte a sus hijos si su fe ha crecido con el trabajo que realizan (tareas domésticas, escolares, la oración, atletismo o arte). ¿Cómo sirven a Dios con esas tareas? Comparta las maneras como su fe ha crecido gracias al trabajo diario. Esta semana ore por intercesión de san José Obrero.

13 de octubre de 2019

Vigesimoctavo Domingo del Tiempo Ordinario

Escuchar la palabra

Lucas 17:11–19

En el nombre del Padre, y del Hijo, y del Espíritu Santo.

En aquel tiempo, cuando Jesús iba de camino a Jerusalén, pasó entre Samaria y Galilea. Estaba cerca de un pueblo, cuando le salieron al encuentro diez leprosos, los cuales se detuvieron a lo lejos y a gritos le decían: "Jesús, maestro, ten compasión de nosotros".

Al verlos, Jesús les dijo: "Vayan a presentarse a los sacerdotes". Mientras iban de camino, quedaron limpios de la lepra.

Uno de ellos, al ver que estaba curado, regresó, alabando a Dios en voz alta, se postró a los pies de Jesús y le dio las gracias. Ése era un samaritano. Entonces dijo Jesús: "¿No eran diez los que quedaron limpios? ¿Dónde están los otros nueve? ¿No ha habido nadie, fuera de este extranjero, que volviera para dar gloria a Dios?" Después le dijo al samaritano: "Levántate y vete. Tu fe te ha salvado".

Reflexionar sobre la palabra

Los diez leprosos gritaban con fe para que Jesús se compadeciera, y su fe fue recompensada con una curación física. El único que regresó agradecido al Señor fue el samaritano. Su gratitud lo encamina a su salud espiritual. Por este encuentro, Jesús nos muestra que nadie, ni un leproso, ni siquiera un samaritano, está fuera del alcance de la misericordia de Dios. La salvación nos alcanza a cada uno; basta pedir la misericordia de Dios y responder a su amor con gratitud y alabanza.

...... CAMINO A MISA

Pida a cada uno que ponga atención al evangelio y a la homilía. ¿Ya se fijaron en las partes de la misa cuando pedimos por los que sufren o están enfermos?

CAMINO A CASA ......

Dios no ignora nuestros pedidos de ayuda o curación. ¿Le agradece a Dios las bondades para con usted? ¿Cómo le demuestra usted su agradecimiento?

Vivir la palabra

Eucaristía significa "acción de gracias". ¿Cómo le damos gracias a Dios de manera especial en la misa? Cada noche de esta semana, dedique un momento para agradecer a Dios. Haga que sus hijos mencionen algo por lo que estén agradecidos. En la oración, pueden decir: "Gracias, Dios por...".

20 de octubre de 2019

Vigesimonoveno Domingo del Tiempo Ordinario

Escuchar la palabra

Lucas 18:1–7

En el nombre del Padre, y del Hijo, y del Espíritu Santo.

En aquel tiempo, para enseñar a sus discípulos la necesidad de orar siempre y sin desfallecer, Jesús les propuso esta parábola:

"En cierta ciudad había un juez que no temía a Dios ni respetaba a los hombres. Vivía en aquella misma ciudad una viuda que acudía a él con frecuencia para decirle: 'Hazme justicia contra mi adversario'.

Por mucho tiempo, el juez no le hizo caso, pero después se dijo: 'Aunque no temo a Dios ni respeto a los hombres, sin embargo, por la insistencia de esta viuda, voy a hacerle justicia para que no me siga molestando' ".

Dicho esto, Jesús comentó: "Si así pensaba el juez injusto, ¿creen ustedes acaso que Dios no hará justicia a sus elegidos, que claman a él día y noche, y que los hará esperar? Yo les digo que les hará justicia sin tardar".

Reflexionar sobre la palabra

La parábola del evangelio de hoy trata sobre la perseverancia en la oración. Jesús nos enseña que debemos orar constantemente y no cansarnos de hacerlo. Cuando oramos profundizamos nuestra fe y nos fortalecemos.

...... CAMINO A MISA

¿Qué significa la oración para usted? ¿Por qué ora?

CAMINO A CASA ......

Piense en la viuda del evangelio. ¿Por qué seguía enfadando al juez? ¿Qué le daba fuerza para seguir insistiendo? ¿Qué nos enseña sobre la oración?

Vivir la palabra

Jesús nos enseñó a orar con el Padrenuestro. Proponga a su familia rezar el Padrenuestro todos los días. A sus niños más pequeños enséñeles la oración y repase el sentido de ciertas palabras y frases. Ore incesantemente.

27 de octubre de 2019

Trigésimo Domingo del Tiempo Ordinario

Escuchar la palabra

Lucas 18:9–14

En el nombre del Padre, y del Hijo, y del Espíritu Santo.

En aquel tiempo, Jesús dijo esta parábola sobre algunos que se tenían por justos y despreciaban a los demás:

"Dos hombres subieron al templo para orar: uno era fariseo y el otro, publicano. El fariseo, erguido, oraba así en su interior: 'Dios mío, te doy gracias porque no soy como los demás hombres: ladrones, injustos y adúlteros; tampoco soy como ese publicano. Ayuno dos veces por semana y pago el diezmo de todas mis ganancias'.

El publicano, en cambio, se quedó lejos y no se atrevía a levantar los ojos al cielo. Lo único que hacía era golpearse el pecho, diciendo: 'Dios mío, apiádate de mí, que soy un pecador'.

Pues bien, yo les aseguro que éste bajó a su casa justificado y aquél no; porque todo el que se enaltece será humillado y el que se humilla será enaltecido".

Reflexionar sobre la palabra

Continuamos reflexionando en la oración. En nuestra naturaleza humana está el compararnos con los demás. Se nos facilita fijarnos en aquello en lo que somos "mejores" que otros, y no en nuestras fallas personales. Porque se obsesiona con las fallas de los demás, el fariseo se ciega a sus propios pecados y se vuelven obstáculos para relacionarse con Dios. El recaudador de impuestos hace lo contrario: confiesa sus pecados y suplica la misericordia de Dios. Está ante Dios con temor y temblor, plenamente consciente de su propio fracaso, y por eso, Dios lo exalta.

...... CAMINO A MISA

El evangelio de hoy nos enseña más sobre nuestra oración. Pida a sus niños que se fijen en lo que hacen y dicen el fariseo y el cobrador de impuestos.

CAMINO A CASA ......

¿Pueden explicar sus hijos la diferencia entre los fariseos y el cobrador de impuestos? Platiquen por qué Jesús prefirió la oración del cobrador de impuestos a la del fariseo que se esforzaba por ser bueno y cumplir con todas las normas.

Vivir la palabra

En familia, exploren la virtud de la humildad. Pregunte a sus hijos cómo Jesús fue humilde en su vida terrena, y localice historias de Jesús y de los santos que enseñan a ser humildes. Hable de cómo el camino a la santidad se ve diferente para diferentes personas. ¿Por qué debemos evitar compararnos con los demás? ¿Cómo nos estorban las comparaciones el camino a la santidad?

1 de noviembre de 2019

Todos los Santos

Escuchar la palabra

Mateo 5:3-12a

En el nombre del Padre, y del Hijo, y del Espíritu Santo.

[Jesús dijo]: "Dichosos los pobres de espíritu, / porque de ellos es el Reino de los cielos.
Dichosos los que lloran, / porque serán consolados.
Dichosos los sufridos, / porque heredarán la tierra.
Dichosos los que tienen hambre y sed de justicia, / porque serán saciados.
Dichosos los misericordiosos, / porque obtendrán misericordia.
Dichosos los limpios de corazón, / porque verán a Dios.
Dichosos los que trabajan por la paz, / porque se les llamará hijos de Dios.
Dichosos los perseguidos por causa de la justicia, / porque de ellos es el Reino de los cielos.
Dichosos serán ustedes, cuando los injurien, los persigan y digan cosas falsas de ustedes por causa mía. Alégrense y salten de contento, porque su premio será grande en los cielos".

Reflexionar sobre la palabra

Hoy honramos a todos los que han encontrado la felicidad eterna junto a Dios. Todos los santos, tanto los canonizados como los incontables no reconocidos aquí en la tierra, buscaron y vivieron vidas santas. Los santos son la encarnación de las bienaventuranzas. Por eso, nos muestran humildad y perdón, pureza de corazón, sed de justicia y paz, a pesar de ser perseguidos por causa de su fe. En esta solemnidad, también celebramos gozosamente nuestra propia vocación de convertirnos en santos e imitar sus santos pasos.

...... CAMINO A MISA

¿Por qué el tener buenos modelos a imitar nos ayuda en la vida?

CAMINO A CASA ......

¿Cuál bienaventuranza queremos hacer realidad esta semana?

Vivir la palabra

Jesús nos enseña en las bienaventuranzas que ser bendecido es ser vulnerable, y a confiar en Dios. Debemos abandonar esa actitud de "hágalo usted mismo" en la vida y confiar en Dios. Lleve a su familia la vida de los santos esta semana. Lea (o represente) historias de santos que son especiales para su familia y analice cómo experimentaron las Bienaventuranzas. ¿Qué cualidades son más admirables en ellos? Oren unos por otros para que todos sean santos.

Este 2 de noviembre, conmemoramos a Todos los Fieles Difuntos. En familia, comparta historias sobre los difuntos; recuérdenlos con fotos y objetos si los hay.

3 de noviembre de 2019

Trigésimo Primer Domingo del Tiempo Ordinario

Escuchar la palabra

Lucas 19:1–10

En el nombre del Padre, y del Hijo, y del Espíritu Santo.

En aquel tiempo, Jesús entró en Jericó, y al ir atravesando la ciudad, sucedió que un hombre llamado Zaqueo, jefe de publicanos y rico, trataba de conocer a Jesús; pero la gente se lo impedía, porque Zaqueo era de baja estatura. Entonces corrió y se subió a un árbol para verlo cuando pasara por ahí. Al llegar a ese lugar, Jesús levantó los ojos y le dijo: "Zaqueo, bájate pronto, porque hoy tengo que hospedarme en tu casa".

Él bajó enseguida y lo recibió muy contento. Al ver esto, comenzaron todos a murmurar diciendo: "Ha entrado a hospedarse en casa de un pecador".

Zaqueo, poniéndose de pie, dijo a Jesús: "Mira, Señor, voy a dar a los pobres la mitad de mis bienes, y si he defraudado a alguien, le restituiré cuatro veces más". Jesús le dijo: "Hoy ha llegado la salvación a esta casa, porque también él es hijo de Abraham, y el Hijo del hombre ha venido a buscar y a salvar lo que se había perdido".

Reflexionar sobre la palabra

Zaqueo verdaderamente quería "ver quién era Jesús" y Jesús lo cautivó. Primero, llegó a treparse a un árbol solo para verlo; luego, cómo lo recibió en su casa, y finalmente, dijo que entregaría la mitad de sus bienes a los pobres y que devolvería a los demás ¡cuatro veces más de lo defraudado! Encontrar a Jesús, cambió a Zaqueo: quedó totalmente cautivado.

...... CAMINO A MISA

Dígales a sus niños que pongan atención a la historia de Zaqueo y a los cambios que ocurren cuando Jesús entra en su vida.

CAMINO A CASA ......

¿Encontramos a Jesús en nuestra vida? ¿Cuándo percibimos la presencia de Dios? ¿Lo recibimos en nuestro corazón? ¿Reflejamos en nuestro modo de vida los valores cristianos?

Vivir la palabra

Visite ZacchaeusHouse.org, o Zacchaeus House en las redes sociales, para saber más sobre la labor de esta casa que da techo a los que necesitan refugio y curación mientras se preparan para una vida independiente, encuentran un trabajo, aprenden algún oficio o regresan a la escuela. Observe las fotos de aquellos que ofrecen voluntariamente su tiempo y talento, así como de las personas que han recibido ayuda. Mire la lista de necesidades y, en familia, decidan cómo pueden ayudar.

10 de noviembre de 2019

Trigésimo Segundo Domingo del Tiempo Ordinario

Escuchar la palabra

Lucas 20:34-38

En el nombre del Padre, y del Hijo, y del Espíritu Santo.

Jesús les dijo [a los saduceos], "En esta vida, hombres y mujeres se casan, pero en la vida futura, los que sean juzgados dignos de ella y de la resurrección de los muertos, no se casarán ni podrán ya morir, porque serán como los ángeles e hijos de Dios, pues él los habrá resucitado.

Y que los muertos resucitan, el mismo Moisés lo indica en el episodio de la zarza, cuando llama al Señor, *Dios de Abraham, Dios de Isaac, Dios de Jacob*. Porque Dios no es Dios de muertos, sino de vivos, pues para él todos viven".

Reflexionar sobre la palabra

Los saduceos buscan atrapar a Jesús con alguna pregunta capciosa, como esa de cuál será, en la resurrección, el esposo de la mujer que enviudó siete veces. Jesús no responde directamente. Él les dice que para Dios todos están vivos, incluso los difuntos. Nuestra liturgia funeraria católica nos enseña que la vida cambia, no se termina. Aunque las relaciones con una persona querida pueden cesar con la muerte, el amor que las formó y transformó no lo hará. El amor nunca muere, y estamos destinados a vivir en ese Amor, es decir, a vivir en Dios, para siempre.

...... CAMINO A MISA

¿Cómo cree usted que es el cielo? ¿Cómo será vivir para siempre con Dios?

CAMINO A CASA ......

Los hijos seguramente tienen preguntas sobre la muerte y la vida en el más allá. Explíqueles que sus seres queridos difuntos están en paz y que su alma vive delante de Dios. Anime a sus hijos a compartir sus sentimientos o miedos.

Vivir la palabra

Noviembre es el mes dedicado a los difuntos, en nuestra cultura católica. Disponga de una mesita de oración y coloque en ésta una vela, flores y una Biblia, así como fotos y otros recuerdos de sus seres queridos difuntos. Oren para que todos sus difuntos estén con Dios en el cielo, y den gracias por el amor que todavía comparten con ellos. Pida a sus hijos dibujar o escribir sobre un recuerdo que tengan de algún ser querido que haya partido ya junto a Dios, y comenten por qué esa persona era especial para ellos.

17 de noviembre de 2019

Trigésimo Tercer Domingo del Tiempo Ordinario

Escuchar la palabra

Lucas 21:5-11

En el nombre del Padre, y del Hijo, y del Espíritu Santo.

En aquel tiempo, como algunos ponderaban la solidez de la construcción del templo y la belleza de las ofrendas votivas que lo adornaban, Jesús dijo: "Días vendrán en que no quedará piedra sobre piedra de todo esto que están admirando; todo será destruido".

Entonces le preguntaron: "Maestro, ¿cuándo va a ocurrir esto y cuál será la señal de que ya está a punto de suceder?" Él les respondió: "Cuídense de que nadie los engañe, porque muchos vendrán usurpando mi nombre y dirán: 'Yo soy el Mesías. El tiempo ha llegado'. Pero no les hagan caso. Cuando oigan hablar de guerras y revoluciones, que no los domine el pánico, porque eso tiene que acontecer, pero todavía no es el fin".

Luego les dijo: "Se levantará una nación contra otra y un reino contra otro. En diferentes lugares habrá grandes terremotos, epidemias y hambre, y aparecerán en el cielo señales prodigiosas y terribles".

Reflexionar sobre la palabra

Cuando el año litúrgico va expirando, las lecturas de la misa enfocan los últimos tiempos. Hoy, escuchamos a Jesús anunciar la destrucción del templo de Jerusalén, algo impensable para sus oyentes. Jesús les advierte (y a nosotros) que incluso ante la ruina y el mal, no deben ceder al terror. Debemos permanecer fuertes y firmes, esperar en Dios y hacer el bien. Aunque la vida parezca terrible y sin esperanza, la luz del amanecer de Dios vencerá a la más oscura de las noches.

...... CAMINO A MISA

¿Alguna vez se sintió aterrorizado? ¿Cómo se sobrepuso?

CAMINO A CASA ......

¿Qué significa esperar en Dios? ¿Por qué es tan importante esta esperanza? Platiquen cómo la fe nos ayuda en las preocupaciones, miedos y crisis.

Vivir la palabra

Se escucha mucho sobre terrorismo en el mundo actual, y hasta parece que nuestros problemas sociales son tan grandes que nunca quedarán resueltos. Nosotros, sin embargo, confiamos en Dios, que nos invita a llevar luz a los lugares oscuros del mundo. Infórmense quién está trabajando en su comunidad o en la sociedad global para combatir el terror y la destrucción. Oren por esas personas o por esa organización, y vean cómo su familia puede contribuir a apoyarla.

El próximo será el último domingo de este año litúrgico. El Primer Domingo de Adviento iniciará un año nuevo.

24 de noviembre de 2019

Nuestro Señor Jesucristo, Rey del Universo

Escuchar la palabra

Lucas 23:35-43

En el nombre del Padre, y del Hijo, y del Espíritu Santo.

Cuando Jesús estaba ya crucificado, las autoridades le hacían muecas, diciendo: "A otros ha salvado; que se salve a sí mismo, si él es el Mesías de Dios, el elegido".

También los soldados se burlaban de Jesús, y acercándose a él, le ofrecían vinagre y le decían: "Si tú eres el rey de los judíos, sálvate a ti mismo". Había, en efecto, sobre la cruz, un letrero en griego, latín y hebreo, que decía: "Este es el rey de los judíos".

Uno de los malhechores crucificados insultaba a Jesús, diciéndole: "Si tú eres el Mesías, sálvate a ti mismo y a nosotros". Pero el otro le reclamaba, indignado: "¿Ni siquiera temes tú a Dios estando en el mismo suplicio? Nosotros justamente recibimos el pago de lo que hicimos. Pero éste ningún mal ha hecho". Y le decía a Jesús: "Señor, cuando llegues a tu Reino, acuérdate de mí". Jesús le respondió: "Yo te aseguro que hoy estarás conmigo en el paraíso".

Reflexionar sobre la palabra

Jesucristo es un rey algo raro. Nació en la pobreza y vivió en total simplicidad. Tuvo seguidores, pero ningún ejército para asegurarse el poder. No tuvo palacio, ni posesiones, ni nada que indicara su rango a los demás. Al final, murió crucificado como un rebelde común, y los que acudieron a su ejecución en la cruz se burlaron de su pretensión de ser rey. Sólo el criminal que padecía junto a él, vio en ese Cristo la fuerza con humildad, el poder con sacrificio. Ese hombre pidió a Jesús que lo recordara. Que tengamos claridad para hacer lo mismo.

...... CAMINO A MISA

¿Cómo describen ustedes a un rey?

CAMINO A CASA ......

Explique a sus hijos que celebramos la solemnidad de Nuestro Señor Jesucristo, rey del universo. Es un título inspirador. ¿Qué clase de rey es Jesús? ¿Cómo son los reyes y gobernantes del mundo?

Vivir la palabra

Dios nos pide ser misericordiosos con los demás, la tierra, el universo y nosotros mismos. Mientras actuemos con más misericordia con todas las creaturas, más profundas raíces echará en nuestra vida espiritual la gracia de la misericordia. Los demás verán entonces que somos testigos de la misericordia de Dios porque cuidamos a los marginados y a la creación entera. Este jueves, los estadounidenses celebran el Día de Acción de Gracias. Hay que prepararnos en casa para recibir a los invitados. Hay que preparar también nuestro corazón para recibir a Cristo Rey. Demos gracias a Dios por todas sus bendiciones.

1 de diciembre de 2019

Primer Domingo de Adviento

Escuchar la palabra

Mateo 24:37-44

En el nombre del Padre, y del Hijo, y del Espíritu Santo.

En aquel tiempo, Jesús dijo a sus discípulos: "Así como sucedió en tiempos de Noé, así también sucederá cuando venga el Hijo del hombre. Antes del diluvio, la gente comía, bebía y se casaba, hasta el día en que Noé entró en el arca. Y cuando menos lo esperaban, sobrevino el diluvio y se llevó a todos. Lo mismo sucederá cuando venga el Hijo del hombre. Entonces, de dos hombres que estén en el campo, uno será llevado y el otro será dejado; de dos mujeres que estén juntas moliendo trigo, una será tomada y la otra dejada.

Velen, pues, y estén preparados, porque no saben qué día va a venir su Señor. Tengan por cierto que si un padre de familia supiera a qué hora va a venir el ladrón, estaría vigilando y no dejaría que se le metiera por un boquete en su casa. También ustedes estén preparados, porque a la hora que menos lo piensen, vendrá el Hijo del hombre".

Reflexionar sobre la palabra

Los días del Adviento esperamos. Esperamos la venida de Jesús, en ese establo en Belén, en nuestro corazón, pero también su venida al final de los tiempos. Nuestra espera no debe caracterizarse solo por compras navideñas, fiestas o envolver regalos. Debe, ante todo, estar marcada por la oración, el servicio y el arrepentimiento. Esperamos con la certeza de que el Señor viene, sabiendo que vendrá "a la hora menos esperada". ¡Manténganse despiertos! No ignoren a Dios. Abran el corazón a las posibilidades de renovación y acojan generosamente al Señor con toda la vida.

...... CAMINO A MISA

Diga a sus hijos que comienza un año litúrgico. Pídales que se fijen en los colores y en el ornato de la iglesia.

CAMINO A CASA ......

Hablen sobre cómo toda la familia puede esperar activamente a Jesús este Adviento. Pueden adoptar el hábito de orar juntos, brindar algún servicio a la comunidad o marcar los días con una obra de caridad diaria.

Vivir la palabra

Para orar en familia, enciendan una vela de la corona de Adviento (u otra vela) y escuchen el canto de Taizé "Wait for the Lord" (https://www.taize.fr/spip.php?page=chant &song =512&lang=en) y ajusten la letra: "Viene el Señor, se acerca ya. Viene el Señor, reanímate". Canten una vez que se sientan cómodos con el estribillo. Incluso si todo el mundo anda apresurado por la Navidad, dediquen este tiempo para concentrarse deliberadamente en Cristo, para que entre en nuestra vida y corazón.

8 de diciembre de 2019

Segundo Domingo de Adviento

Escuchar la palabra

Mateo 3:1-6

En el nombre del Padre, y del Hijo, y del Espíritu Santo.

En aquel tiempo, comenzó Juan el Bautista a predicar en el desierto de Judea, diciendo: "Arrepiéntanse, porque el Reino de los cielos está cerca. Juan es aquel de quien el profeta Isaías hablaba, cuando dijo: *Una voz clama en el desierto: Preparen el camino del Señor, enderecen sus senderos.*

Juan usaba una túnica de pelo de camello, ceñida con un cinturón de cuero, y se alimentaba de saltamontes y de miel silvestre. Acudían a oírlo los habitantes de Jerusalén, de toda Judea y de toda la región cercana al Jordán; confesaban sus pecados y él los bautizaba en el río.

Reflexionar sobre la palabra

Nos gusta estar siempre preparados para todo. Nos preparamos para el mal tiempo, emergencias médicas, exámenes escolares, entrevistas de trabajo, recibir un bebé o comenzar un curso. Nos prevenimos con los suministros adecuados y un plan de acción. Juan el Bautista habla de una preparación diferente: preparar el corazón. Los cristianos debemos vivir constantemente vigilantes y arrepentidos, para mantener nuestro corazón puro y santo, porque el Reino de los Cielos está cerca.

...... CAMINO A MISA

¿Sus hijos saben quién es Juan el Bautista? Era pariente de Jesús. Isabel, su madre, era de la misma familia de María. Cuente a sus hijos la historia de la Visitación y cómo Juan brincó en el vientre de su madre Isabel, con el saludo de María.

CAMINO A CASA ......

Hablen de cómo Juan exhortaba a la gente a arrepentirse, porque el Reino de Dios estaba acercándose. Explique a sus hijos que Juan quería que las personas llevaran una vida recta como preparación a la venida del mesías, Jesús.

Vivir la palabra

Preparen su corazón para la venida del Señor y participen en un servicio de reconciliación parroquial o acérquense al sacramento de la confesión. En casa, invite a sus hijos a dibujar un sendero por el que Jesús los llama a caminar. ¿Qué se interpone entre ellos y Jesús? Pídales que tengan presente este obstáculo cuando se acerquen al sacramento.

15 de diciembre de 2019

Tercer Domingo de Adviento

Escuchar la palabra

Mateo 11:2-6

En el nombre del Padre, y del Hijo, y del Espíritu Santo.

En aquel tiempo, Juan se encontraba en la cárcel, y habiendo oído hablar de las obras de Cristo, le mandó preguntar por medio de dos discípulos: "¿Eres tú el que ha de venir o tenemos que esperar a otro?"

Jesús les respondió: "Vayan a contar a Juan lo que están viendo y oyendo: los ciegos ven, los cojos andan, los leprosos quedan limpios de la lepra, los sordos oyen, los muertos resucitan y a los pobres se les anuncia el Evangelio. Dichoso aquél que no se sienta defraudado por mí".

Reflexionar sobre la palabra

Juan Bautista tenía sus expectativas sobre el Mesías; nosotros tenemos las nuestras. ¿Qué esperaban Juan y sus discípulos? Jesús no les dice directamente que él era el Mesías, solo les pide que observen a los que han sido restaurados y sanados. Esta es la causa del regocijo por la llegada del Redentor.

...... CAMINO A MISA

Al Tercer Domingo de Adviento se le llama Domingo de Gaudete. Gaudete es palabra latina y significa "¡regocíjense!". Pida a su familia fijarse en los colores de los adornos de la iglesia. ¿Qué color predomina? ¿Por qué?

CAMINO A CASA ......

¿Qué piensan ustedes que esperaba del Mesías el pueblo de Dios? ¿Qué fue lo que encontró? ¿Qué esperan ustedes de Dios?

Vivir la palabra

¿Alguna vez se han encontrado inesperadamente con Dios? Cuente a sus hijos sobre eso. Pídales también que compartan los momentos cuando se encontraron personalmente con Dios, o cuando lo conocieron de manera inesperada.

22 de diciembre de 2019

Cuarto Domingo de Adviento

Escuchar la palabra

Mateo 1:18–24

En el nombre del Padre, y del Hijo, y del Espíritu Santo.

Cristo vino al mundo de la siguiente manera: Estando María, su madre, desposada con José, y antes de que vivieran juntos, sucedió que ella, por obra del Espíritu Santo, estaba esperando un hijo. José, su esposo, que era hombre justo, no queriendo ponerla en evidencia, pensó dejarla en secreto.

Mientras pensaba en estas cosas, un ángel del Señor le dijo en sueños: "José, hijo de David, no dudes en recibir en tu casa a María, tu esposa, porque ella ha concebido por obra del Espíritu Santo. Dará a luz un hijo y tú le pondrás el nombre de Jesús, porque él salvará a su pueblo de sus pecados".

Todo esto sucedió para que se cumpliera lo que había dicho el Señor por boca del profeta Isaías: *He aquí que la virgen concebirá y dará a luz un hijo, a quien pondrán el nombre de Emmanuel, que quiere decir Dios-con-nosotros.*

Cuando José despertó de aquel sueño, hizo lo que le había mandado el ángel del Señor y recibió a su esposa.

Reflexionar sobre la palabra

El mensaje central de Adviento, "Dios está con nosotros", resuena hoy. María sintió temor cuando el ángel Gabriel le reveló que ella había sido elegida por Dios para portar y dar a luz a su hijo. José se turbó cuando supo del embarazo de María, porque él era un hombre justo. Ambos eran personas de fe profunda que dijeron sí al llamado de Dios. Dios estuvo con ellos de una manera muy personal e insospechada. Del mismo modo, cada uno de nosotros es llamado y elegido para llevar la luz de Cristo hasta los lugares más oscuros del mundo.

...... CAMINO A MISA

Todavía es Adviento. ¿Cómo van los preparativos para la Navidad?

CAMINO A CASA ......

Piensen en lo valiente que fueron María y José para decir sí a Dios, y en la fe tan grande que se necesita para responderle. Compartan si alguna vez se han sentido temerosos o nerviosos ante lo que Dios les pide.

Vivir la palabra

Envuélvanse en la experiencia de la Sagrada Familia y los eventos de la concepción y el nacimiento de Jesús. Lean toda o partes de la narración de la infancia en san Lucas (1:5—2:52). Vean si pueden participar en una posada en su área. Hablen de cómo José y María se debieron sentir a medida que se acercaba el nacimiento de Jesús, y oren para que Jesús pueda encontrar un hogar en su familia el próximo año.

25 de diciembre de 2019

Natividad del Señor (misa de la noche)

Escuchar la palabra

Lucas 2:1–7a, 8–14

En el nombre del Padre, y del Hijo, y del Espíritu Santo.

Por aquellos días, se promulgó un edicto de César Augusto, que ordenaba un censo de todo el imperio. Este primer censo se hizo cuando Quirino era gobernador de Siria. Todos iban a empadronarse, cada uno en su propia ciudad; así es que también José, perteneciente a la casa y familia de David, se dirigió desde la ciudad de Nazaret, en Galilea, a la ciudad de David, llamada Belén, para empadronarse, juntamente con María, su esposa, que estaba encinta.

Mientras estaban ahí, le llegó a María el tiempo de dar a luz y tuvo a su hijo primogénito.

En aquella región había unos pastores que pasaban la noche en el campo, vigilando por turno sus rebaños. Un ángel del Señor se les apareció y la gloria de Dios los envolvió con su luz y se llenaron de temor. El ángel les dijo: "No teman. Les traigo una buena noticia, que causará gran alegría a todo el pueblo: hoy les ha nacido, en la ciudad de David, un salvador, que es el Mesías, el Señor. Esto les servirá de señal: encontrarán al niño envuelto en pañales y recostado en un pesebre".

De pronto se le unió al ángel una multitud del ejército celestial, que alababa a Dios, diciendo: "¡Gloria a Dios en el cielo, y en la tierra paz a los hombres de buena voluntad!"

Reflexionar sobre la palabra

La gloria del Señor los rodeó. Los pastores cuidaban las ovejas, cuando, de pronto, se vieron rodeados de la gloria del Señor. El mundo entero quedó envuelto en gloria. Como hace dos milenios, hoy nace la Palabra de Dios; el Eterno quiso entrar en lo cotidiano de la vida humana. Con los ángeles, proclamamos esta gran alegría: Dios se ha hecho hombre, y ha glorificado a la humanidad. ¡Gloria a Dios en las alturas!

...... CAMINO A MISA

Pida a sus hijos que escuchen atentamente el evangelio. ¿Cómo mostramos nuestra alegría y gratitud por el nacimiento de Jesús?

CAMINO A CASA ......

¿Qué cambios notaron en la ambientación de la iglesia respecto al comienzo del Adviento?

Vivir la palabra

La Navidad es una fiesta grande, ¡y la celebración dura más de un día! Se prolonga por ocho días, la octava, y termina con la Fiesta de María, la Madre de Dios el 1 de enero. En la liturgia de la Iglesia, cada día de la octava de Navidad es como una nueva Navidad: rezamos las mismas oraciones que las del 25 de diciembre y cantamos el Gloria en cada misa. ¡Celebremos también en casa! Hagan algo especial y divertido en familia e inviten a amigos y familiares a disfrutar de comidas durante toda la semana.

29 de diciembre de 2019

Sagrada Familia de Jesús, María y José

Escuchar la palabra

Mateo 2:19–23

En el nombre del Padre, y del Hijo, y del Espíritu Santo.

Después de muerto Herodes, el ángel del Señor se le apareció en sueños a José y le dijo: "Levántate, toma al niño y a su madre y regresa a la tierra de Israel, porque ya murieron los que intentaban quitarle la vida al niño".

Se levantó José, tomó al niño y a su madre y regresó a tierra de Israel. Pero, habiendo oído decir que Arquelao reinaba en Judea en lugar de su padre, Herodes, tuvo miedo de ir allá, y advertido en sueños, se retiró a Galilea y se fue a vivir en una población llamada Nazaret. Así se cumplió lo que habían dicho los profetas: *Se le llamará nazareno.*

Reflexionar sobre la palabra

La Sagrada Familia estaba profundamente arraigada en Dios. Siguió fielmente sus órdenes; primero la de huir a Egipto y luego la de regresar tras la muerte de Herodes. Dejaron atrás parentela, amigos y medios de vida, para ir a un país extranjero, con un futuro incierto. En la tranquila sencillez del hogar de Nazaret, el niño Jesús creció aprendiendo de sus padres las virtudes, la obediencia y la santidad. La Sagrada Familia es una imagen de la vida familiar que se construye sobre la fe, la fidelidad y el amor.

...... CAMINO A MISA

Explique a sus hijos la fiesta que hoy celebramos. ¿Qué cualidades valora más en su familia?

CAMINO A CASA ......

Hablen de las cualidades de su propia familia y reflexionen en lo que tiene en común con la Sagrada Familia.

Vivir la palabra

Celebren esta fiesta y planeen un día familiar divertido. Pueden visitar un museo, ir a patinar sobre hielo, o hacer alguna otra actividad familiar de la temporada. Terminen el día preparando una comida especial; invite a que cada miembro de la familia escoja algo para dicha comida. Para la oración de esa noche, hagan que cada miembro de la familia encienda una vela (las velas bautismales serían muy apropiadas) y oren para que la llama de la fe se fortalezca en cada uno de ustedes.

1 de enero de 2020

Santa María, Madre de Dios

Escuchar la palabra

Lucas 2:16–21

En el nombre del Padre, y del Hijo, y del Espíritu Santo.

En aquel tiempo, los pastores fueron a toda prisa hacia Belén y encontraron a María, a José y al niño, recostado en el pesebre. Después de verlo, contaron lo que se les había dicho de aquel niño y cuantos los oían, quedaban maravillados. María, por su parte, guardaba todas estas cosas y las meditaba en su corazón.

Los pastores se volvieron a sus campos, alabando y glorificando a Dios por todo cuanto habían visto y oído, según lo que se les había anunciado.

Cumplidos los ocho días, circuncidaron al niño y le pusieron el nombre de Jesús, aquel mismo que había dicho el ángel, antes de que el niño fuera concebido.

Reflexionar sobre la palabra

María es la Madre de Dios. Sintió al Creador del mundo moviéndose en su vientre y amamantó al Rey de Reyes con su pecho. Ella arrulló con su voz a la Palabra hecha carne y curó las heridas del Príncipe de la Paz. Y todos estos momentos ordinarios y milagrosos los guardó y los reflexionó en su corazón. Todos los que fueron al pesebre estaban asombrados por el anuncio de los ángeles: que este bebé era Cristo y Señor. Hoy nos maravillamos de que este Hijo de Dios también sea el hijo de María, porque ella dijo sí al milagro de vivir con Dios.

...... CAMINO A MISA

Invocamos a María Madre de la Iglesia. ¿Qué significa para usted que ella es Madre de la Iglesia?

CAMINO A CASA ......

Para la vida espiritual es muy importante escuchar y meditar en las Escrituras. Vuelvan en silencio a casa. Pida a sus hijos que consideren cómo pueden pasar más tiempo con Dios este año.

Vivir la palabra

Al comenzar un nuevo año como familia, discutan cómo quieren crecer en la fe el próximo año. ¿Hay obras de caridad o alguna oración especial que la familia pueda asumir este nuevo año? ¿Cómo pueden ayudarse unos a otros? ¿Cómo pueden ayudar a otros en su comunidad o en el mundo en general? Incluya sus resoluciones en su espacio de oración para que pueda recordarlas durante todo el año.

5 de enero de 2020

Epifanía del Señor

Escuchar la palabra

Mateo 2:1-5, 7-11

En el nombre del Padre, y del Hijo, y del Espíritu Santo.

Jesús nació en Belén de Judá, en tiempos del rey Herodes. Unos magos de Oriente llegaron entonces a Jerusalén y preguntaron: "¿Dónde está el rey de los judíos que acaba de nacer? Porque vimos surgir su estrella y hemos venido a adorarlo".

Al enterarse de esto, el rey Herodes se sobresaltó y toda Jerusalén con él. Convocó entonces a los sumos sacerdotes y a los escribas del pueblo y les preguntó dónde tenía que nacer el Mesías. Ellos le contestaron: "En Belén de Judá...".

Entonces Herodes llamó en secreto a los magos, para que le precisaran el tiempo en que se les había aparecido la estrella y los mandó a Belén, diciéndoles: "Vayan a averiguar cuidadosamente qué hay de ese niño, y cuando lo encuentren, avísenme para que yo también vaya a adorarlo".

Después de oír al rey, los magos se pusieron en camino, y de pronto la estrella que habían visto surgir, comenzó a guiarlos, hasta que se detuvo encima de donde estaba el niño. Al ver de nuevo la estrella, se llenaron de inmensa alegría. Entraron en la casa y vieron al niño con María, su madre, y postrándose, lo adoraron. Después, abriendo sus cofres, le ofrecieron regalos: oro, incienso y mirra.

Reflexionar sobre la palabra

Solo san Mateo cuenta la visita de los Magos de Oriente. Esa visita reveló el significado del nacimiento de Jesús, su "epifanía" o "revelación": la estrella les reveló el camino a Jesús. Llevaron sus dones al recién nacido, y con ellos revelaron su identidad profunda (su realeza, divinidad y muerte). Todos experimentamos momentos de epifanía: cuando la oscuridad se disipa y vemos el mundo de manera nueva, cuando encontramos el valor de salir de las fronteras seguras de nuestra vida ordinaria. En esta fecha, piensen a dónde los lleva la estrella. ¿Cómo se revela Cristo en sus vidas?

...... CAMINO A MISA

Los Magos le llevan regalos a Jesús. ¿Qué dones le pueden ofrecer cada uno de ustedes?

CAMINO A CASA ......

¿Ha experimentado usted alguna epifanía o revelación? ¿Cómo notó la presencia de Dios?

Vivir la palabra

Hagan las tradicionales "marcas en la puerta" de su casa. Con una tiza de yeso o gis escriba en el marco de la puerta de entrada: 20 + G + M + B + 20. Las letras en inglés portan dos significados: son las iniciales de los nombres de los Reyes Magos —C/Gaspar, Melchor y Baltazar— y también abrevian la frase latina Christus mansionem benedicat ("Cristo bendiga esta mansión"). Las + representan la cruz, y el año se anota en cada extremo. La inscripción es una oración para pedir a Cristo que bendiga el hogar y se quede con quienes viven allí, el año entero.

12 de enero de 2020

Bautismo del Señor

Escuchar la palabra

Mateo 3:13–17

En el nombre del Padre, y del Hijo, y del Espíritu Santo.

En aquel tiempo, Jesús llegó de Galilea al río Jordán y le pidió a Juan que lo bautizara. Pero Juan se resistía, diciendo: "Yo soy quien debe ser bautizado por ti, ¿y tú vienes a que yo te bautice?" Jesús le respondió: "Haz ahora lo que te digo, porque es necesario que así cumplamos todo lo que Dios quiere". Entonces Juan accedió a bautizarlo.

Al salir Jesús del agua, una vez bautizado, se le abrieron los cielos y vio al Espíritu de Dios, que descendía sobre él en forma de paloma y oyó una voz que decía desde el cielo: "Éste es mi Hijo muy amado, en quien tengo mis complacencias".

Reflexionar sobre la palabra

El bautismo de Jesús es otra epifanía, un momento de revelación. Allí, se revela la Trinidad (la voz de Dios, el Padre; la persona de Jesucristo, el Hijo; y la imagen de paloma, el Espíritu Santo). El bautismo de Jesús nos abre la puerta para que todos participemos en la vida de Dios. Nos invita a las mismas aguas bautismales. En el bautismo, recibimos una nueva vida en Cristo; nos revestimos de Cristo, como una nueva vestimenta, y somos hechos hijos e hijas de Dios, en quienes él se complace.

...... CAMINO A MISA

¿Se consideran ustedes hijos amados de Dios?

CAMINO A CASA ......

¿Qué aprendemos de la vida de la Trinidad en el bautismo de Jesús?

Vivir la palabra

Saque los recuerdos de los bautismos de su familia. Muestre fotos o videos, velas y ropas bautismales. Pregunte a sus hijos qué piensan que significa ser un hijo o una hija de Dios. Agregue un icono del bautismo de Jesús en su mesita de oración. (Busque un ícono en internet usando las palabras clave "imagen o ícono religioso" y "bautismo de Jesús"). Lea este evangelio nuevamente mientras la familia mira la imagen y comenta cómo se representan al Padre, al Hijo y al Espíritu Santo.

19 de enero de 2020

Segundo Domingo del Tiempo Ordinario

Escuchar la palabra

Juan 1:29-34

En el nombre del Padre, y del Hijo, y del Espíritu Santo.

En aquel tiempo, vio Juan el Bautista a Jesús, que venía hacia él, y exclamó: "Éste es el Cordero de Dios, el que quita el pecado del mundo. Éste es aquel de quien yo he dicho: 'El que viene después de mí, tiene precedencia sobre mí, porque ya existía antes que yo'. Yo no lo conocía, pero he venido a bautizar con agua, para que él sea dado a conocer a Israel".

Entonces Juan dio este testimonio: "Vi al Espíritu descender del cielo en forma de paloma y posarse sobre él. Yo no lo conocía, pero el que me envió a bautizar con agua me dijo: 'Aquél sobre quien veas que baja y se posa el Espíritu Santo, ése es el que ha de bautizar con el Espíritu Santo'. Pues bien, yo lo vi y doy testimonio de que éste es el Hijo de Dios".

Reflexionar sobre la palabra

Ya Juan el Bautista había renunciado a todo lo que poseía, y caminaba de un lugar a otro predicando que se arrepintieran de sus pecados. Hoy, rodeado de sus seguidores (el fruto de su trabajo y sacrificio), mira a Jesús y se los envía a todos en calidad de seguidores. Juan muestra una gran humildad como testigo de Cristo, porque deja todo lo que le quedaba de sus logros al servicio de Dios. Al igual que Juan, estamos invitados a entregar nuestros éxitos, logros y honor a Dios, para que él sea reconocido en todo lo que hacemos.

...... CAMINO A MISA

Si le preguntaran de quién es discípulo, ¿qué respondería usted?

CAMINO A CASA ......

Juan Bautista era pariente de Jesús, y sin duda que lo conocía de toda la vida. Sabía que Jesús era el Hijo de Dios, el Mesías que la gente estaba esperando. Hable con sus hijos sobre cómo reconocemos la presencia de Cristo: en la misa, él está presente en la Palabra, en la Eucaristía y en la asamblea que rinde culto a Dios.

Vivir la palabra

Los santos son personas que dieron testimonio de la gloria y del amor de Dios con su vida. Al igual que Juan, sus palabras y acciones estuvieron orientadas a dar gloria a Dios. Repase la vida de dos o tres de sus santos favoritos. ¿Qué testimonio dieron de Dios? ¿Cómo glorificaron a Dios con sus vidas? Conversen sobre algunas formas en que ustedes pueden dar testimonio del amor de Dios en su vida diaria.

26 de enero de 2020

Tercer Domingo del Tiempo Ordinario

Escuchar la palabra

Mateo 4:12–17

En el nombre del Padre, y del Hijo, y del Espíritu Santo.

Al enterarse Jesús de que Juan había sido arrestado, se retiró a Galilea, y dejando el pueblo de Nazaret, se fue a vivir a Cafarnaúm, junto al lago, en territorio de Zabulón y Neftalí, para que así se cumpliera lo que había anunciado el profeta Isaías:

Tierra de Zabulón y Neftalí, camino del mar, al otro lado del Jordán, Galilea de los paganos. El pueblo que caminaba en tinieblas vio una gran luz. Sobre los que vivían en tierra de sombras una luz resplandeció.

Desde entonces comenzó Jesús a predicar, diciendo: "Conviértanse, porque ya está cerca el Reino de los cielos".

Reflexionar sobre la palabra

En América del Norte, los días de invierno son cortos y las horas de oscuridad largas. El mundo está lleno de sufrimiento y muerte, guerras y hambrunas, pobreza y adicción, violencia y desesperación. Es fácil sentirse desgarrado por tanta oscuridad. Pero la luz de Dios amanece sobre el mundo en la época más oscura del año. Entonces nacen la luz, la vida y la esperanza, en Belén, y siguen naciendo en cada corazón y en cada vida, para iluminar todo rincón oscuro.

...... CAMINO A MISA

Hablen de los diferentes tipos de luz. ¿Qué hace la luz por nosotros? ¿Cómo sería la vida de no haber luz?

CAMINO A CASA ......

¿En qué se quiere usted superar ahora mismo? ¿Cómo ha iluminado Jesús su vida? Para usted, ¿qué significa esperar en Jesús?

Vivir la palabra

De ser posible, asistan a la oración de la tarde o Vísperas en una iglesia, seminario, convento o monasterio. O recen las Vísperas en casa, con su familia. Sírvanse de las oraciones del día en http://www.ibreviary.com/m2/breviario.php?lang=es. Enciendan una vela para fomentar el sentido de reverencia. Después de orar, hablen sobre su experiencia. ¿Qué significa decir que Jesús es la Luz del mundo? ¿De qué maneras pueden portar luz a los lugares oscuros del mundo?

2 de febrero de 2020

Presentación del Señor

Escuchar la palabra

Lucas 2:25-32

En el nombre del Padre, y del Hijo, y del Espíritu Santo.

Vivía en Jerusalén un hombre llamado Simeón, varón justo y temeroso de Dios, que aguardaba el consuelo de Israel; en él moraba el Espíritu Santo, el cual le había revelado que no moriría sin haber visto antes al Mesías del Señor. Movido por el Espíritu, fue al templo, y cuando José y María entraban con el niño Jesús para cumplir con lo prescrito por la ley, Simeón lo tomó en brazos y bendijo a Dios, diciendo: / "Señor, ya puedes dejar morir en paz a tu siervo, / según lo que me habías prometido, / porque mis ojos han visto a tu Salvador, / al que has preparado para bien de todos los pueblos; / luz que alumbra a las naciones / y gloria de tu pueblo, Israel".

Reflexionar sobre la palabra

Simeón habla del anhelo en todos los corazones humanos. Como lo expresaba san Agustín: "Nuestro corazón está inquieto hasta que no descanse en ti [Dios]". Mirando al niño Jesús, el anhelo de Simeón se satisface. Él vio la Luz, Jesucristo, y contempló todo sobre su vida, el mundo y su destino. También es nuestro destino ver a Dios cara a cara, mirar la Luz que ilumina toda oscuridad de pecado, de miedo y de muerte. En Dios, hallamos esa paz que el mundo no puede dar.

...... CAMINO A MISA

Pida a sus hijos que pongan atención a todas las referencias de la luz. ¿Por qué es tan importante la luz?

CAMINO A CASA ......

¿Cómo transformó a Simeón haberse encontrado con el niño Jesús? ¿Le ha cambiado a usted haberse encontrado con Dios?

Vivir la palabra

Esta es una fiesta muy popular, es el Día de la Candelaria (porque Jesús es luz). Muchas iglesias ofrecen una bendición de las doce velas que se irán encendiendo a lo largo del año, una por mes para la oración en el hogar. La noche de esta fecha, haga una procesión a la luz de las velas alrededor de su casa, y concluyan orando el Cántico de Simeón (Nunc Dimittis), que se encuentra en el evangelio del día.

9 de febrero de 2020

Quinto Domingo del Tiempo Ordinario

Escuchar la palabra

Mateo 5:13–16

En el nombre del Padre, y del Hijo, y del Espíritu Santo.

En aquel tiempo, Jesús dijo a sus discípulos: "Ustedes son la sal de la tierra. Si la sal se vuelve insípida, ¿con qué se le devolverá el sabor? Ya no sirve para nada y se tira a la calle para que la pise la gente.

Ustedes son la luz del mundo. No se puede ocultar una ciudad construida en lo alto de un monte; y cuando se enciende una vela, no se esconde debajo de una olla, sino que se pone sobre un candelero, para que alumbre a todos los de la casa.

Que de igual manera brille la luz de ustedes ante los hombres, para que viendo las buenas obras que ustedes hacen, den gloria a su Padre, que está en los cielos".

Reflexionar sobre la palabra

Jesús recurre a las imágenes familiares de sal y luz para describir lo que es ser discípulo suyo. Somos la luz del mundo. Es nuestro trabajo brillar ante los demás, para que puedan conocer y glorificar a Dios. Nuestra vida es luz donde Dios brilla. Nosotros, bendecidos por Dios, debemos ser testigos de su bondad. Se cuenta que alguna vez se le preguntó a un niño pequeño quiénes son los santos. Al mirar las vidrieras, dijo: "Son las personas por las que brilla la luz". Oremos para que todos nosotros, peregrinos, hagamos brillar la luz de Dios a través de nosotros cada día.

...... CAMINO A MISA

¿Quién es su modelo o ejemplo a seguir? ¿Por qué eligió a esa persona?

CAMINO A CASA ......

¿Qué significa ser luz para el mundo?

Vivir la palabra

Llega el Día de san Valentín. Ese día acostumbramos hacerle saber a la gente que los amamos. Además de preparar tarjetas de san Valentín para sus compañeros de clase, amigos y familiares, pídales a sus hijos que piensen en quién más podría necesitar saberse amado. Invítelos a hacer un dibujo o escribirles una breve carta. Este detalle seguramente iluminará el día de los destinatarios.

16 de febrero de 2020

Sexto Domingo del Tiempo Ordinario

Escuchar la palabra

Mateo 5:21–22a, 27–28, 33–34a, 37

En el nombre del Padre, y del Hijo, y del Espíritu Santo.

[Jesús dijo a sus discípulos:] "Han oído ustedes que se dijo a los antiguos: *No matarás y el que mate será llevado ante el tribunal*. Pero yo les digo todo el que se enoje con su hermano, será llevado también ante el tribunal.

También han oído ustedes que se dijo a los antiguos: *No cometerás adulterio*; pero yo les digo que quien mire con malos deseos a una mujer, ya cometió adulterio con ella en su corazón.

Han oído ustedes que se dijo a los antiguos: *No jurarás en falso y le cumplirás al Señor lo que le hayas prometido con juramento*. Pero yo les digo: No juren de ninguna manera.

Digan simplemente sí, cuando es sí; y no, cuando es no. Lo que se diga de más, viene del maligno".

Reflexionar sobre la palabra

Los cristianos judíos que se mantuvieron fieles a la Ley, la comunidad de Mateo, necesitaban una forma de entender que Jesús lleva la Ley aún más lejos, a su cumplimiento pleno. Seguir la Ley es más que una mera obediencia memorística: debemos tomar en serio la Ley. No solo debemos eliminar la conducta violenta, sino también los pensamientos de enojo; no solo acciones codiciosas, sino hasta los deseos egoístas; no solo palabras deshonestas, sino también los planes engañosos. Cuando seguimos la Ley en nuestro corazón, construimos relaciones con nosotros mismos, con los demás y, lo más importante, con Dios. Nos conformamos más y más a Cristo. Vivimos una vida construida y sostenida por el amor.

...... CAMINO A MISA

El Catecismo de la Iglesia Católica nos enseña la fe. ¿De qué otros modos podemos saber de Dios y de las enseñanzas de Jesús?

CAMINO A CASA ......

¿Cómo incentivó Jesús a sus discípulos a seguir la Ley? ¿Cómo nos anima ahora a nosotros?

Vivir la palabra

Jesús enseña que debemos pensar lo que decimos y decir lo que pensamos. Esta semana, ponga atención a cómo usa las palabras. ¿Somos sinceros unos con otros? ¿Con los compañeros de clase o de equipo? ¿Con amigos? Converse con sus hijos por qué la verdad y la sinceridad son importantes para mantener relaciones personales buenas y saludables.

23 de febrero de 2020

Séptimo Domingo del Tiempo Ordinario

Escuchar la palabra

Mateo 5:38–48

En el nombre del Padre, y del Hijo, y del Espíritu Santo.

En aquel tiempo, Jesús dijo a sus discípulos: "Ustedes han oído que se dijo: *Ojo por ojo, diente por diente*; pero yo les digo que no hagan resistencia al hombre malo. Si alguno te golpea en la mejilla derecha, preséntale también la izquierda; al que te quiera demandar en juicio para quitarte la túnica, cédele también el manto. Si alguno te obliga a caminar mil pasos en su servicio, camina con él dos mil. Al que te pide, dale; y al que quiere que le prestes, no le vuelvas la espalda.

Han oído ustedes que se dijo: *Ama a tu prójimo y odia a tu enemigo*; yo, en cambio, les digo: Amen a sus enemigos, hagan el bien a los que los odian y rueguen por los que los persiguen y calumnian, para que sean hijos de su Padre celestial, que hace salir su sol sobre los buenos y los malos, y manda su lluvia sobre los justos y los injustos.

Porque si ustedes aman a los que los aman, ¿qué recompensa merecen? ¿No hacen eso mismo los publicanos? Y si saludan tan sólo a sus hermanos, ¿qué hacen de extraordinario? ¿No hacen eso mismo los paganos? Ustedes, pues, sean perfectos, como su Padre celestial es perfecto".

Reflexionar sobre la palabra

La reacción espontánea a la injuria es agredir con palabras o acciones coléricas. Cristo invierte esa reacción. No es fácil ser su seguidor. Asemejarnos a él, ser íntegros, requiere que roguemos a Dios que nos ayude.

...... CAMINO A MISA

¿Qué significa "ama a tus enemigos"? ¿Cree usted que amarlos es fácil o difícil?

CAMINO A CASA ......

¿Cómo entiende usted las palabras de Jesús? ¿Cómo puede hacer usted realidad las palabras de Jesús en el evangelio de hoy?

Vivir la palabra

Ore por aquellos que lo lastimaron u ofendieron esta semana. Pida a cada miembro de su familia que anote los nombres de una o más personas que los hayan ofendido (puede ser una ofensa reciente o añeja) y coloque los papeles en una cestita sobre su mesa de oración. Oren por esas personas todas las noches (si se siente cómodo, elija unas cuantas papeletas cada noche y lea los nombres en voz alta). Al final de la semana, discutan cómo se sintieron al rezar por los que los han lastimado. ¿Por qué Jesús nos pide que amemos a nuestros enemigos? ¿Cómo nos ayuda esto para caminar hacia la paz?

1 de marzo de 2020

Primer Domingo de Cuaresma

Escuchar la palabra

Mateo 4:1–4

En el nombre del Padre, y del Hijo, y del Espíritu Santo.

En aquel tiempo, Jesús fue conducido por el Espíritu al desierto, para ser tentado por el demonio. Pasó cuarenta días y cuarenta noches sin comer y, al final, tuvo hambre. Entonces se le acercó el tentador y le dijo: "Si tú eres el Hijo de Dios, manda que estas piedras se conviertan en panes". Jesús le respondió: "Está escrito: *No sólo de pan vive el hombre, sino también de toda palabra que sale de la boca de Dios*".

Reflexionar sobre la palabra

Antes de iniciar su ministerio público, Jesús fue tentado por el diablo de varios modos. El primero fue el más simple: tenía hambre y se sintió tentado con comida. Obviamente el pan, en sí, no es malo. Satanás tentó a Jesús no solo para satisfacer su hambre, sino para que abandonara la fe en Dios, que lo cuida, lo sostiene y lo ama. Frente a esta tentación, Jesús declara su fe inquebrantable: que Dios era todo el alimento que necesitaba. Al rechazar Jesús las tentaciones de Satanás, muestra que no pondrá a prueba a Dios. Se afirma en la palabra y la autoridad de las Escrituras; Jesús reprende al diablo, confiando en la protección y fidelidad de Dios.

...... CAMINO A MISA

¿Cómo confía usted en Dios?

CAMINO A CASA ......

¿Alguna vez se ha sentido tentado por el pecado? ¿Qué sucedió?

Vivir la palabra

Durante la Cuaresma, debemos dar limosna, ayunar y orar. En esta Cuaresma, considere aquello que le impide confiar en Dios; puede ser el orgullo, o el amar ser honrado, o el aferrarse a las posesiones. ¿Qué compromisos puede usted hacer para mostrar fe en Dios? ¿De qué necesita ayunar? ¿Dónde debería poner su riqueza financiera y material? ¿Cómo puede acercarse más a Dios en la oración? El objetivo de estos compromisos no es la "autoayuda" sino crecer en la fe. ¿Cómo se puede acercar más a Dios en estos cuarenta días?

8 de marzo de 2020

Segundo Domingo de Cuaresma

Escuchar la palabra

Mateo 17:1–5

En el nombre del Padre, y del Hijo, y del Espíritu Santo.

En aquel tiempo, Jesús tomó consigo a Pedro, a Santiago y a Juan, el hermano de éste, y los hizo subir a solas con él a un monte elevado. Ahí se transfiguró en su presencia: su rostro se puso resplandeciente como el sol y sus vestiduras se volvieron blancas como la nieve. De pronto aparecieron ante ellos Moisés y Elías, conversando con Jesús.

Entonces Pedro le dijo a Jesús: "Señor, ¡qué bueno sería quedarnos aquí! Si quieres, haremos aquí tres chozas, una para ti, otra para Moisés y otra para Elías".

Cuando aún estaba hablando, una nube luminosa los cubrió y de ella salió una voz que decía: "Éste es mi Hijo muy amado, en quien tengo puestas mis complacencias; escúchenlo".

Reflexionar sobre la palabra

Es bueno quedarnos aquí. Deseamos que algunos momentos de la vida duren para siempre: unas vacaciones divertidas o un gran día con amigos o incluso una noche acogedora en casa. Pedro propuso levantar tiendas de campaña y quedarse en aquella montaña para siempre. Pero el momento no pudo durar, porque Jesús y sus discípulos debían descender de la montaña y viajar a Jerusalén para confrontar la traición, el sufrimiento y la muerte. Pero la pura alegría de la Transfiguración les dio (¡y a nosotros!) un rayo de esperanza, la fuerza para perseverar frente a la pena y el sufrimiento humanos.

•••••• CAMINO A MISA

¿Ha deseado usted que algún momento dure para siempre? ¿Cómo fue?

CAMINO A CASA ••••••

¿Qué nos revela de Jesús la Transfiguración? ¿Cómo transformó a los discípulos que estaban allí?

Vivir la palabra

La música puede provocar fuertes emociones y recuerdos. Escuche "La Transfiguración" de Sufjan Stevens (búsquelo en línea). Después de escucharla una vez, pida a cada miembro de la familia su opinión sobre la canción. ¿Cómo fue contada la historia de la Transfiguración? ¿Qué dice la letra sobre Jesús, sobre sus discípulos y sobre Dios? ¿Cómo el ritmo, la melodía y la armonía ayudan a forjar una imagen de la Transfiguración en su mente?

15 de marzo de 2020

Tercer Domingo de Cuaresma

Escuchar la palabra

Juan 4:5–10

En el nombre del Padre, y del Hijo, y del Espíritu Santo.

En aquel tiempo, llegó Jesús a un pueblo de Samaria, llamado Sicar, cerca del campo que dio Jacob a su hijo José. Ahí estaba el pozo de Jacob. Jesús, que venía cansado del camino, se sentó sin más en el brocal del pozo. Era cerca del mediodía.

Entonces llegó una mujer de Samaria a sacar agua y Jesús le dijo: "Dame de beber". (Sus discípulos habían ido al pueblo a comprar comida). La samaritana le contestó: "¿Cómo es que tú, siendo judío, me pides de beber a mí, que soy samaritana?" (Porque los judíos no tratan a los samaritanos). Jesús le dijo: "Si conocieras el don de Dios y quién es el que te pide de beber, tú le pedirías a él, y él te daría agua viva".

Reflexionar sobre la palabra

En el evangelio, Jesús se acerca a la mujer samaritana primero. Es un relato de conversión: Dios nos tiende su mano amiga para que busquemos su gracia. Cuando la tomamos, nuestra recompensa es tremenda: agua viva, agua que lava el pecado y la muerte, porque él nos comparte la vida divina. Dios busca incansablemente a su pueblo, en todo momento y en todo lugar. ¿Cómo ha buscado Dios relacionarse con usted? ¿Cómo ha respondido a su llamada?

...... CAMINO A MISA

Exploren lo que significa tener sed. ¿Qué se siente?

CAMINO A CASA ......

En el relato del evangelio, la sed pasa de lo físico a lo espiritual. Escuchamos que Jesús ofrece agua viva que apaga la sed espiritual. ¿Qué es eso del agua viva?

Vivir la palabra

Infórmense sobre lo que hace Catholic Relief Services (www.crsespanol.org) para proveer de agua limpia a personas de todo el mundo. Conversen en la familia sobre los beneficios de acceder al agua potable para beber, cocinar y limpiar, y noten las dificultades de otras personas que viven en la pobreza o en áreas devastadas por la guerra. Decidan hacer alguna actividad de las sugeridas en https://www.crsespanol.org/toma-accion/aprenda-y-actue/. Oren para que todas las personas en todo el mundo tengan acceso a agua limpia.

22 de marzo de 2020

Cuarto Domingo de Cuaresma

Escuchar la palabra

Juan 9:1–3, 6–7

En el nombre del Padre, y del Hijo, y del Espíritu Santo.

En aquel tiempo, Jesús vio al pasar a un ciego de nacimiento, y sus discípulos le preguntaron: "Maestro, ¿quién pecó para que éste naciera ciego, él o sus padres?" Jesús respondió: "Ni él pecó, ni tampoco sus padres. Nació así para que en él se manifestaran las obras de Dios".

Dicho esto, escupió en el suelo, hizo lodo con la saliva, se lo puso en los ojos al ciego y le dijo: "Ve a lavarte en la piscina de Siloé" (que significa 'Enviado'). Él fue, se lavó y volvió con vista.

Reflexionar sobre la palabra

El evangelio de hoy nos invita a reflexionar sobre lo físico y lo espiritual de la vista y de la luz. Jesús responde a la creencia dominante de su tiempo de que la desgracia y la discapacidad son resultado de pecar. Él da un giro a la pregunta: gracias a la discapacidad de este hombre, el poder de Dios se dará a conocer.

Dios se hace visible a través de nuestras vidas, a través de las buenas o felices ocurrencias. Solo que a veces, como con el ciego de nacimiento, conocemos a Dios mediante los desafíos que confrontamos. Dios trabaja en nosotros, incluso en los tiempos oscuros, haciendo brillar una luz de esperanza y fe y sanando cuerpo, corazón y alma. Dios no solo obra en nosotros, también camina siempre con nosotros en lo bueno y lo malo.

...... CAMINO A MISA

¿Cómo sería nuestra vida sin poder ver?

CAMINO A CASA ......

¿Cómo sería nuestra vida sin reconocer la presencia de Dios en ella? ¿Cómo cambia nuestra vida cuando la reconocemos?

Vivir la palabra

¿Hay personas de su comunidad que les pasan desapercibidas? Quizá sean los ancianos, los enfermos o los que no pueden salir de casa, los que no tienen hogar o los que viven en situaciones financieras precarias. ¿Miran a Cristo en ellos? Elijan una persona o grupo por el que oren esta semana, y comprométanse a estar con ellos, a verlos y amarlos, y a cuidarlos con la misma ternura de su amor por Cristo.

29 de marzo de 2020

Quinto Domingo de Cuaresma

Escuchar la palabra

Juan 11:17–23

En el nombre del Padre, y del Hijo, y del Espíritu Santo.

Cuando llegó Jesús, Lázaro llevaba ya cuatro días en el sepulcro. Betania quedaba cerca de Jerusalén, como a unos dos kilómetros y medio, y muchos judíos habían ido a ver a Marta y a María para consolarlas por la muerte de su hermano. Apenas oyó Marta que Jesús llegaba, salió a su encuentro; pero María se quedó en casa. Le dijo Marta a Jesús: "Señor, si hubieras estado aquí, no habría muerto mi hermano. Pero aún ahora estoy segura de que Dios te concederá cuanto le pidas". Jesús le dijo: "Tu hermano resucitará".

Reflexionar sobre la palabra

El contexto del evangelio de hoy es la creciente hostilidad de los líderes judíos contra Jesús. Él ha estado en Jerusalén, y la gente lo ha estado presionando para que anuncie claramente que él es el Mesías. Jesús les pide que decidan por sí mismos mirando sus obras, que dan testimonio de que ha venido de parte de Dios.

Esta historia, otro de los milagros de Jesús, nos recuerda que la muerte no es el final de la vida; más bien, conduce a la vida de nuevo. Reconocemos que es doloroso cuando la muerte nos aparta a un ser querido, pero también recordamos la promesa de que, como Lázaro, algún día nos levantaremos.

...... CAMINO A MISA

¿Le ha tocado consolar a alguien que sufriera la pérdida de un ser querido? ¿Le ha tocado ser la persona consolada?

CAMINO A CASA ......

¿Cómo expresaba Marta su fe en Jesús? ¿Confía usted en Jesús de la misma manera?

Vivir la palabra

De ser oportuno, vaya con sus hijos a la tumba de un ser querido. Compartan recuerdos. Lean en voz alta Juan 11: 17–44. Conversen cómo debieron sentirse María, Marta y sus amigos al morir Lázaro. ¿Cómo crees que reaccionaron al verlo salir de la tumba? ¿Cómo habrías reaccionado de estar allí? ¿Qué podemos aprender sobre Dios con este relato? Oren por todos los difuntos, para que resuciten a una nueva vida.

5 de abril de 2020

Domingo de Ramos de la Pasión del Señor

Escuchar la palabra

Mateo 21:1–11

En el nombre del Padre, y del Hijo, y del Espíritu Santo.

Cuando se aproximaban ya a Jerusalén, al llegar a Betfagé, junto al monte de los Olivos, envió Jesús a dos de sus discípulos, diciéndoles: "Vayan al pueblo que ven allí enfrente; al entrar, encontrarán amarrada una burra y un burrito con ella; desátenlos y tráiganmelos. Si alguien les pregunta algo, díganle que el Señor los necesita y enseguida los devolverá".

Esto sucedió para que se cumplieran las palabras del profeta: *Díganle a la hija de Sión: He aquí que tu rey viene a ti, apacible y montado en un burro, en un burrito, hijo de animal de yugo.*

Fueron, pues, los discípulos e hicieron lo que Jesús les había encargado y trajeron consigo la burra y el burrito. Luego pusieron sobre ellos sus mantos y Jesús se sentó encima. La gente, muy numerosa, extendía sus mantos por el camino; algunos cortaban ramas de los árboles y las tendían a su paso. Los que iban delante de él y los que lo seguían gritaban: *"¡Hosanna! ¡Viva el Hijo de David! ¡Bendito el que viene en nombre del Señor! ¡Hosanna en el cielo!"*

Al entrar Jesús en Jerusalén, toda la ciudad se conmovió. Unos decían: "¿Quién es éste?" Y la gente respondía: "Éste es el profeta Jesús, de Nazaret de Galilea".

Reflexionar sobre la palabra

El Domingo de Ramos inicia con triunfo y termina en la oscuridad. La misma multitud que recibe con algarabía a Jesús al entrar en Jerusalén se vuelve contra él pocos días después. Se burlarán de él y lo condenarán. Ignoran la Verdad que han visto con sus propios ojos. ¡Hemos ignorado la verdad que nos ha sido revelada! ¿Y usted? ¿Se ha hecho de la vista gorda ante la presencia de Dios en su vida? ¿Ha relegado la verdad y la bondad frente a la presión social?

...... CAMINO A MISA

Diga a su familia que hoy comenzamos la Samana Santa. El Domingo de Ramos guarda muchas emociones: felicidad y abatimiento.

CAMINO A CASA ......

Escuchamos que Jesús fue obediente a la voluntad de su Padre, incluso angustiado ante la muerte inminente. ¿Cómo entiende usted la voluntad de Dios?

Vivir la palabra

Iniciamos la Cuaresma recibiendo ceniza, hecha con las ramas de palma del año pasado. Comenzamos la Semana Santa y recibimos nuevas palmas benditas. Busque tutoriales en línea para formar crucecitas con las palmas. Organice una procesión en su casa y alaben a Dios con un canto apropiado. Coloquen una cruz de palma sobre las puertas o detrás de un crucifijo.

12 de abril de 2020

Domingo de Pascua de la Resurrección del Señor

Escuchar la palabra

Juan 20:1-8

En el nombre del Padre, y del Hijo, y del Espíritu Santo.

El primer día después del sábado, estando todavía oscuro, fue María Magdalena al sepulcro y vio removida la piedra que lo cerraba. Echó a correr, llegó a la casa donde estaban Simón Pedro y el otro discípulo, a quien Jesús amaba, y les dijo: "Se han llevado del sepulcro al Señor y no sabemos dónde lo habrán puesto".

Salieron Pedro y el otro discípulo camino del sepulcro. Iban corriendo juntos, pero el otro discípulo corrió más aprisa que Pedro y llegó primero al sepulcro, e inclinándose, miró los lienzos en el suelo, pero no entró.

En eso llegó también Simón Pedro, que lo venía siguiendo, y entró en el sepulcro. Contempló los lienzos puestos en el suelo y el sudario que había estado sobre la cabeza de Jesús, puesto no con los lienzos en el suelo, sino doblado en sitio aparte. Entonces entró también el otro discípulo, el que había llegado primero al sepulcro, y vio y creyó.

Reflexionar sobre la palabra

La historia comienza en la oscuridad, tan simbólica como la percepción de la tumba vacía en María de Magdala. Probablemente ya hay claridad cuando ella ha vuelto a la tumba, acompañada de dos discípulos. Simón Pedro entra en la tumba vacía, pero el primer discípulo llega antes y cree al mirar las vestimentas del entierro. Se nota ya un atisbo de vida nueva en el relato, pero más honda es la verdad de que la piedra está rodada y que la resurrección de Cristo es la victoria sobre la muerte. Los detalles del relato de Juan nos invitan a meditar en un regalo increíble: la fe en Cristo y su resurrección.

...... CAMINO A MISA

¿Puso atención su familia a los cambios en la decoración de la Iglesia? ¿Cómo se expresó la alegría de la Pascua en los colores, en la música o en los aromas?

CAMINO A CASA ......

Pida a sus niños que cuenten lo que notaron en misa. ¿En qué notaron que la misa es más alegre que hoy?

Vivir la palabra

¡Cristo resucitó! ¡Aleluya! Estamos celebrando el mayor misterio de nuestra fe: que la muerte ha sido vencida por la fuerza del amor de Dios. ¡Celebren la Pascua con esplendor y sigan celebrando toda la semana! Salgan con amigos y familiares. Canten Aleluya cuando oren. Llenen su casa de flores (un signo de vida nueva). Lleven dulces y flores a las personas confinadas en sus casas, alejadas de la familia o que se sienten solas.

19 de abril de 2020

Segundo Domingo de Pascua / de la Divina Misericordia

Escuchar la palabra

Juan 20:19–29

En el nombre del Padre, y del Hijo, y del Espíritu Santo.

Al anochecer del día de la resurrección, estando cerradas las puertas de la casa donde se hallaban los discípulos, … se presentó Jesús en medio de ellos y les dijo: "La paz esté con ustedes". Dicho esto, les mostró las manos y el costado. Cuando los discípulos vieron al Señor, se llenaron de alegría…

Tomás, uno de los Doce, a quien llamaban el Gemelo, no estaba con ellos cuando vino Jesús, y los otros discípulos le decían: "Hemos visto al Señor". Pero él les contestó: "Si no veo en sus manos la señal de los clavos y si no meto mi dedo en los agujeros de los clavos y no meto mi mano en su costado, no creeré".

Ocho días después, estaban reunidos los discípulos a puerta cerrada y Tomás estaba con ellos. Jesús se presentó de nuevo en medio de ellos y les dijo: "La paz esté con ustedes". Luego le dijo a Tomás: "Aquí están mis manos; acerca tu dedo. Trae acá tu mano, métela en mi costado y no sigas dudando, sino cree". Tomás le respondió: "¡Señor mío y Dios mío!" Jesús añadió: "Tú crees porque me has visto; dichosos los que creen sin haber visto".

Reflexionar sobre la palabra

Creer sería mucho más fácil si tuviéramos una confirmación tangible. Sin llegar a meter nuestros dedos en los agujeros que han dejado los clavos en las manos de Cristo, sabemos que "la fe es la realización de lo que se espera y la evidencia de las cosas que no se ven" (Hebreos 11:1). Cuando, por fin, Tomás se encuentra con el Señor, lo reconoce de inmediato y clama con alegría y fe. Nos encontramos con Jesús de muchas maneras sorprendentes en la vida. Que tengamos fe para exclamar: "¡Mi Señor y mi Dios!"

......CAMINO A MISA

¿Le parece difícil tener fe en Dios? ¿Qué es lo que más se le dificulta?

CAMINO A CASA......

¿Dónde se ha encontrado con Jesús? ¿Cómo le ayudó ese encuentro a crecer en la fe?

Vivir la palabra

A esta fecha se le conoce como Domingo de la Divina Misericordia. Entérese de la vida de santa Faustina y su misión de hacer que el mundo conozca la misericordia de Dios. Imprima o compre la imagen de la Divina Misericordia (o imprima hojas para colorear para sus hijos) y colóquela en su mesa de oración. Recen juntos la coronilla de la Divina Misericordia. Pueden encontrar información sobre el Domingo de la Divina Misericordia, santa Faustina y el rosario en http://www.usccb.org/about/pro-life-activities /prayers /divine-mercy-sunday-esp.cfm.

26 de abril de 2020

Tercer Domingo de Pascua

Escuchar la palabra

Lucas 24:13-15, 30-32

En el nombre del Padre, y del Hijo, y del Espíritu Santo.

El mismo día de la resurrección, iban dos de los discípulos hacia un pueblo llamado Emaús, situado a unos once kilómetros de Jerusalén, y comentaban todo lo que había sucedido.

Mientras conversaban y discutían, Jesús se les acercó y comenzó a caminar con ellos; pero los ojos de los dos discípulos estaban velados y no lo reconocieron.

Cuando estaban a la mesa, tomó un pan, pronunció la bendición, lo partió y se lo dio. Entonces se les abrieron los ojos y lo reconocieron, pero él se les desapareció. Y ellos se decían el uno al otro: "¡Con razón nuestro corazón ardía, mientras nos hablaba por el camino y nos explicaba las Escrituras!"

Reflexionar sobre la palabra

Los dos discípulos desahogaron su miedo y tristeza con aquel extraño que toparon en el camino. Nunca lo reconocieron hasta que les partió el pan. En este relato, aprendemos que el Resucitado no es fácil de reconocer. Solo en retrospectiva reconocemos a Jesús. Pero lo conozcamos o no, Jesús se acerca a todos nosotros en el camino de la vida. Él está allí para recordarnos la verdad, tranquilizarnos en los tiempos oscuros e iluminar nuestro camino.

...... CAMINO A MISA

¿Ha conocido a alguien con quien haya sintonizado desde el primer momento? ¿Por qué sentimos afinidad con algunas personas? Pida a su familia fijarse cuando el sacerdote parte el pan en la Liturgia de la Eucaristía.

CAMINO A CASA ......

¿Encuentra usted algún vínculo entre el evangelio de hoy y la liturgia? En la Eucaristía, participamos al partir el pan y encontramos a Cristo en medio de nosotros. Como los discípulos volvieron a Jerusalén y contaron su experiencia a los demás, somos enviados desde nuestra reunión eucarística a compartir nuestra experiencia con los demás.

Vivir la palabra

¿Por qué decían los discípulos que les ardía su corazón? Converse sobre lo que habrían sentido los discípulos antes de ser acompañados por Jesús y cuando caminaban con él. Imagine cómo reaccionaron cuando Jesús los abordó. Hablen sobre lo que significa que el corazón arda en su interior.

3 de mayo de 2020

Cuarto Domingo de Pascua

Escuchar la palabra

Juan 10:1–10

En el nombre del Padre, y del Hijo, y del Espíritu Santo.

En aquel tiempo, Jesús dijo a los fariseos: "Yo les aseguro que el que no entra por la puerta del redil de las ovejas, sino que salta por otro lado, es un ladrón, un bandido; pero el que entra por la puerta, ése es el pastor de las ovejas. A ése le abre el que cuida la puerta, y las ovejas reconocen su voz; él llama a cada una por su nombre y las conduce afuera. Y cuando ha sacado a todas sus ovejas, camina delante de ellas, y ellas lo siguen, porque conocen su voz. Pero a un extraño no lo seguirán, sino que huirán de él, porque no conocen la voz de los extraños".

Jesús les puso esta comparación, pero ellos no entendieron lo que les quería decir. Por eso añadió: "Les aseguro que yo soy la puerta de las ovejas. Todos los que han venido antes que yo, son ladrones y bandidos; pero mis ovejas no los han escuchado.

Yo soy la puerta; quien entre por mí se salvará, podrá entrar y salir y encontrará pastos. El ladrón sólo viene a robar, a matar y a destruir. Yo he venido para que tengan vida y la tengan en abundancia".

Reflexionar sobre la palabra

Las ovejas distinguen la voz de su pastor de las demás voces. Confían en su pastor porque las guía y les da seguridad. Jesús es el Buen Pastor, y nosotros sus ovejas. Él nos ama y nos llama a cada cual por nuestro nombre. Si lo seguimos, él nos llevará a la felicidad eterna. De nosotros depende saber y escuchar su voz entre el clamor de voces que intentan extraviarnos. Solo nuestra libre elección nos puede separar de Dios y alejarnos de él.

...... CAMINO A MISA

¿Qué sabe usted de ovejas y pastores? Escuche el evangelio de hoy y medite porqué Jesús recurre a la relación del pastor y sus ovejas para enseñar quién es él.

CAMINO A CASA ......

Diga a sus niños que el Cuarto Domingo de Pascua se conoce como el Domingo del Buen Pastor. Cada año escuchamos una lectura diferente sobre Jesús comparándose con un pastor que guía a sus ovejas. ¿Quiénes son hoy los "buenos pastores" que conducen con fidelidad a los fieles? (Respuestas posibles: el papa, los obispos, los párrocos, los líderes cristianos).

Vivir la palabra

¿Cómo cuida a sus ovejas un pastor? ¿Cómo cuida Dios a su pueblo? Invite a cada miembro de la familia a contar cómo Dios se preocupa por él o ella. ¿Qué se siente saber que Dios lo ama y le llama por su nombre? Concluya escuchando o cantando un arreglo musical del Salmo 23. Pregunte a sus hijos qué sienten al escuchar las palabras del Salmo (consuelo, amor, protección).

10 de mayo de 2020

Quinto Domingo de Pascua

Escuchar la palabra

Juan 14:1–10a

En el nombre del Padre, y del Hijo, y del Espíritu Santo.

En aquel tiempo, Jesús dijo a sus discípulos: "No pierdan la paz. Si creen en Dios, crean también en mí. En la casa de mi Padre hay muchas habitaciones. Si no fuera así, yo se lo habría dicho a ustedes, porque voy a prepararles un lugar. Cuando me vaya y les prepare un sitio, volveré y los llevaré conmigo, para que donde yo esté, estén también ustedes. Y ya saben el camino para llegar al lugar a donde voy".

Entonces Tomás le dijo: "Señor, no sabemos a dónde vas, ¿cómo podemos saber el camino?" Jesús le respondió: "Yo soy el camino, la verdad y la vida. Nadie va al Padre si no es por mí. Si ustedes me conocen a mí, conocen también a mi Padre. Ya desde ahora lo conocen y lo han visto".

Le dijo Felipe: "Señor, muéstranos al Padre y eso nos basta". Jesús le replicó: "Felipe, tanto tiempo hace que estoy con ustedes, ¿y todavía no me conoces? Quien me ha visto a mí, ha visto al Padre. ¿Entonces por qué dices: 'Muéstranos al Padre'? ¿O no crees que yo estoy en el Padre y que el Padre está en mí?"

Reflexionar sobre la palabra

Que no se turben sus corazones. Esta frase la pronuncia Jesús cuando se despide de sus discípulos. No deje que su corazón se turbe al enfrentar la desesperación, el sufrimiento o alguna pérdida. No permita que el mundo lo destruya. Es más fácil decirlo que hacerlo, sobre todo cuando nos enfrentamos al dolor profundo que puede causarnos el mundo. Jesús nos asegura que él es el camino, la verdad y la vida. Es el camino de la esperanza, salud y luz en la noche oscura. Él es el camino a la eterna alegría.

...... CAMINO A MISA

¿Alguna vez se ha sentido triste o confundido o solo? ¿Alguna vez se sintió perdido o asustado? ¿Cuándo sintió su corazón perturbado?

CAMINO A CASA ......

Jesús no quiere que vivamos preocupados. Quiere que creamos en él y que confiemos en él. Él nos ha mostrado la manera de vivir como hijos e hijas de Dios. Él nos ha enseñado la verdad acerca de Dios y su gran amor, y por medio de éste, alcanzaremos la vida eterna de Dios en el cielo.

Vivir la palabra

Invite a sus hijos a recortar una docena de corazones pequeños de papel. Pídales que mediten en cómo Jesús no quiere que se turbe su corazón. Pídales que en cada corazón escriban una manera de mostrarse entre sí el amor de Dios. Recuérdeles que anoten sus nombres en los corazones.

17 de mayo de 2020

Sexto Domingo de Pascua

Escuchar la palabra

Juan 14:15-21

En el nombre del Padre, y del Hijo, y del Espíritu Santo.

En aquel tiempo, Jesús dijo a sus discípulos: "Si me aman, cumplirán mis mandamientos; yo le rogaré al Padre y él les enviará otro Consolador que esté siempre con ustedes, el Espíritu de verdad. El mundo no puede recibirlo, porque no lo ve ni lo conoce; ustedes, en cambio, sí lo conocen, porque habita entre ustedes y estará en ustedes. No los dejaré desamparados, sino que volveré a ustedes.

Dentro de poco, el mundo no me verá más, pero ustedes sí me verán, porque yo permanezco vivo y ustedes también vivirán. En aquel día entenderán que yo estoy en mi Padre, ustedes en mí y yo en ustedes.

El que acepta mis mandamientos y los cumple, ése me ama. Al que me ama a mí, lo amará mi Padre, yo también lo amaré y me manifestaré a él".

Reflexionar sobre la palabra

Jesús propone a los discípulos algo revolucionario: que Dios vendrá y habitará en ellos, que sus propios corazones serán convertidos en templo del Espíritu Santo. Cuando nos rendimos a Dios, él viene y habita en nosotros y nosotros en él. Estaremos tan cerca como el latido al corazón. Dios nos invita a una relación de amor, porque el amor consiste en querer el bien del otro. Es un amor que da frutos, pues nos enseña a ver con los ojos de Dios, a no ir tras los caminos del mundo, sino a experimentar el camino de su amor.

...... CAMINO A MISA

¿Qué palabras o acciones expresan amor? ¿Cómo saben ustedes que son amados?

CAMINO A CASA ......

¿Cómo manifiestan en el hogar el amor de unos por otros? ¿Cómo podemos mejorar en expresar el amor en la familia, fuera de ella y a Dios?

Vivir la palabra

"`Amarás al Señor tu Dios con todo tu corazón, con toda tu alma, con toda tu mente y con todas tus fuerzas'. El segundo [mandamiento] es este: 'Amarás a tu prójimo como a ti mismo'. no hay mandamiento más grande que estos" (Marcos 12: 30–31). Lo directo y simple de las palabras de Jesús nos desafían a todos. Medite en algunas formas para hacer vida con estos dos mandamientos, tanto a nivel individual como familiar.

21 de mayo de 2020

Ascensión del Señor

Escuchar la palabra

Mateo 28:16-20

En el nombre del Padre, y del Hijo, y del Espíritu Santo.

En aquel tiempo, los once discípulos se fueron a Galilea y subieron al monte en el que Jesús los había citado. Al ver a Jesús se postraron, aunque algunos titubeaban.

Entonces, Jesús se acercó a ellos y les dijo: "Me ha sido dado todo poder en el cielo y en la tierra. Vayan, pues, y enseñen a todas las naciones, bautizándolas en el nombre del Padre y del Hijo y del Espíritu Santo, y enseñándolas a cumplir todo cuanto yo les he mandado; y sepan que yo estaré con ustedes todos los días, hasta el fin del mundo".

Reflexionar sobre la palabra

En su último encuentro terrenal con Jesús, escuchamos que los discípulos se postraron, aunque dudaban. Parece una paradoja. ¿Cómo podrían los discípulos postrarse ante Cristo mientras dudan de la verdad de su identidad? Pero Jesús no se concentra en sus dudas, como tampoco les recriminó su traición en Jerusalén. Él los envía a hacer discípulos de todas las naciones. Aun cuando nosotros, como los discípulos, dudemos, lo neguemos y estemos llenos de imperfecciones, seguimos invitados a ser misioneros de la Buena Nueva.

...... CAMINO A MISA

¿Se han sentido alguna vez inseguros o no preparados, aunque deseosos y esperanzado ante algo nuevo?

CAMINO A CASA ......

Jesús encomienda a sus seguidores al cuidado del Espíritu Santo. ¿Cómo experimentamos hoy la presencia del Espíritu?

Vivir la palabra

Las imágenes son recordatorios importantes de las personas que amamos; por eso llevamos sus fotos en carteras y teléfonos, o las colocamos en nuestros aparadores, escritorios o paredes de la sala de estar. De manera similar, las imágenes de arte religioso en casa son una forma de recordar nuestra relación con Dios. Busquen imágenes o estatuas que resuenen su familia y colóquelas en su espacio de oración o en las recámaras de sus hijos.

24 de mayo de 2020

Séptimo Domingo de Pascua

Escuchar la palabra

Juan 17:1–11a

En el nombre del Padre, y del Hijo, y del Espíritu Santo.

En aquel tiempo, Jesús levantó los ojos al cielo y dijo: "Padre, ha llegado la hora. Glorifica a tu Hijo, para que tu Hijo también te glorifique, y por el poder que le diste sobre toda la humanidad, dé la vida eterna a cuantos le has confiado. La vida eterna consiste en que te conozcan a ti, único Dios verdadero, y a Jesucristo, a quien tú has enviado.

Yo te he glorificado sobre la tierra, llevando a cabo la obra que me encomendaste. Ahora, Padre, glorifícame en ti con la gloria que tenía, antes de que el mundo existiera.

He manifestado tu nombre a los hombres que tú tomaste del mundo y me diste. Eran tuyos y tú me los diste. Ellos han cumplido tu palabra y ahora conocen que todo lo que me has dado viene de ti, porque yo les he comunicado las palabras que tú me diste; ellos las han recibido y ahora reconocen que yo salí de ti y creen que tú me has enviado.

Te pido por ellos; no te pido por el mundo, sino por éstos, que tú me diste, porque son tuyos. Todo lo mío es tuyo y todo lo tuyo es mío. Yo he sido glorificado en ellos. Ya no estaré más en el mundo, pues voy a ti; pero ellos se quedan en el mundo".

Reflexionar sobre la palabra

El evangelio puede sonar muy abstracto y hasta inconexo. Tomemos esa frase en la que Jesús habla de la gloria que tenía con el Padre "antes de que el mundo existiera". Esta idea nos conduce al misterio de la Santísima Trinidad, que vamos a celebrar dentro de poco. Pensemos en que el Señor Jesús, que se ha hecho uno de nosotros, al mismo tiempo, es uno con Dios, eterno, sin principio ni fin.

...... CAMINO A MISA

Oriente a sus hijos a que escuchen con atención, especialmente las palabras del comienzo del Credo, que se recita después de la homilía. (Puede ver el Credo de los apóstoles en la página 117).

CAMINO A CASA ......

Explique lo que es el Credo y por qué profesamos nuestra fe cada domingo. ¿Cuál es la conexión entre el evangelio de hoy y el Credo?

Vivir la palabra

Reciten juntos el Credo de los Apóstoles. Hablen sobre las creencias esenciales de la fe católica en él contenidas.

31 de mayo de 2020

Domingo de Pentecostés

Escuchar la palabra

Juan 20:19–23

En el nombre del Padre, y del Hijo, y del Espíritu Santo.

Al anochecer del día de la resurrección, estando cerradas las puertas de la casa donde se hallaban los discípulos, por miedo a los judíos, se presentó Jesús en medio de ellos y les dijo: "La paz esté con ustedes". Dicho esto, les mostró las manos y el costado.

Cuando los discípulos vieron al Señor, se llenaron de alegría. De nuevo les dijo Jesús: "La paz esté con ustedes. Como el Padre me ha enviado, así también los envío yo".

Después de decir esto, sopló sobre ellos y les dijo: "Reciban al Espíritu Santo. A los que les perdonen los pecados, les quedarán perdonados; y a los que no se los perdonen, les quedarán sin perdonar".

Reflexionar sobre la palabra

Ya van cincuenta días desde el domingo de Pascua y ahora completamos nuestra celebración de Pascua con Pentecostés (*pentecostés* significa "quincuagésimo"). Note que Jesús dice dos veces, "La paz esté con ustedes" a los discípulos asustados. En ese encuentro, les da el poder de perdonar los pecados. El pecado es una ruptura en nuestra relación con Dios, con los demás, e incluso con nosotros mismos. Es difícil experimentar paz cuando estamos fuera de una relación buena o correcta.

• • • • • • CAMINO A MISA

Hoy es otra oportunidad para meditar en la conexión entre el evangelio y la liturgia. Pida a sus hijos que se fijen en lo que Jesús les dice a los discípulos. ¿En qué momento repetimos esas palabras en la misa?

CAMINO A CASA • • • • • •

¿Cómo se experimenta la paz? ¿Cuál es su experiencia de dar y de recibir paz?

Vivir la palabra

En la fiesta de Pentecostés celebramos la venida del Espíritu Santo y la institución de la Iglesia. Resalte su celebración familiar con detalles de color rojo: rosas rojas, un mantel rojo, un pastel rojo (con siete velas blancas para significar los siete dones del Espíritu). Elabore con sus hijos palomitas para decorar su espacio de oración. Recen la secuencia de Pentecostés (Veni Sancte Spiritus) en español o latín (¡o en ambos!)

7 de junio de 2020

Santísima Trinidad

Escuchar la palabra

Juan 3:16–18

En el nombre del Padre, y del Hijo, y del Espíritu Santo.

[Dijo Jesús:] “Tanto amó Dios al mundo, que le entregó a su Hijo único, para que todo el que crea en él no perezca, sino que tenga la vida eterna. Porque Dios no envió a su Hijo para condenar al mundo, sino para que el mundo se salvara por él. El que cree en él no será condenado; pero el que no cree ya está condenado, por no haber creído en el Hijo único de Dios”.

Reflexionar sobre la palabra

El Catecismo de la Iglesia Católica llama a la doctrina de la Trinidad "el misterio central de la fe cristiana". La Trinidad es el misterio de la misma identidad de Dios: Dios es amor. Al revelarnos la Trinidad, aprendemos que la vida interior de Dios es comunión de tres personas. El amor que comparten es tan grande que se ha desbordado en la creación y en cada uno de nosotros. Así que contemplamos el misterio de nosotros mismos, que hemos sido creados, formados y destinados al amor.

...... CAMINO A MISA

¿Con cuál de las divinas personas de la Santísima Trinidad se relacionan mejor ustedes? ¿Con el Padre, el Hijo o el Espíritu Santo?

CAMINO A CASA ......

¿Qué significa decir que Dios es amor? ¿Qué significa esto para su vida?

Vivir la palabra

Busquen cómo se ha representado en las bellas artes a la Santísima Trinidad a lo largo de los siglos (iconos, pinturas, esculturas) y comenten esto en familia. Conversen sobre lo que les parece más expresivo de la Trinidad. En la oración de hoy, comiencen por santiguarse (usen agua bendita si tienen) y oren pidiendo vivir en el amor de Dios. Concluya su oración familiar orando o escuchando el *Te Deum*, que es un hermoso canto de alabanza y agradecimiento al Dios Triuno.

14 de junio de 2020

Santísimos Cuerpo y Sangre de Cristo

Escuchar la palabra

Juan 6:51-58

En el nombre del Padre, y del Hijo, y del Espíritu Santo.

En aquel tiempo, Jesús dijo a los judíos: "Yo soy el pan vivo que ha bajado del cielo; el que coma de este pan vivirá para siempre. Y el pan que yo les voy a dar es mi carne para que el mundo tenga vida".

Entonces los judíos se pusieron a discutir entre sí: "¿Cómo puede éste darnos a comer su carne?"

Jesús les dijo: "Yo les aseguro: Si no comen la carne del Hijo del hombre y no beben su sangre, no podrán tener vida en ustedes. El que come mi carne y bebe mi sangre, tiene vida eterna y yo lo resucitaré el último día.

Mi carne es verdadera comida y mi sangre es verdadera bebida. El que come mi carne y bebe mi sangre, permanece en mí y yo en él. Como el Padre, que me ha enviado, posee la vida y yo vivo por él, así también el que me come vivirá por mí.

Éste es el pan que ha bajado del cielo; no es como el maná que comieron sus padres, pues murieron. El que come de este pan vivirá para siempre".

Reflexionar sobre la palabra

La Eucaristía habla también de nuestra misteriosa unión con Jesucristo. Al participar del Cuerpo y la Sangre de Cristo, contemplamos al Dios vivo, y dejamos que Cristo llene y transforme cada aspecto de nuestra vida. Jesús mismo se hace alimento para nosotros, y nos fortalece para llevar una vida de discipulado. En cada celebración recibimos una nueva vida: la vida de Cristo. Somos única y completamente transformados y reformados en Cristo.

•••••• CAMINO A MISA

Necesitamos alimentarnos bien cada día para crecer fuertes y saludables. ¿Qué tenemos que hacer para ser espiritualmente vigorosos?

CAMINO A CASA ••••••

Para los niños mayores, ¿qué significa recibir la Sagrada Comunión? Para los niños menores, ¿cómo les gustaría que fuera su Primera Comunión?

Vivir la palabra

En las celebraciones de esta fecha, suelen tenerse procesiones y la adoración eucarística, para honrar el misterio de la Eucaristía. En familia, participen en alguna procesión, o vayan a pasar un buen rato en la adoración eucarística del día. Den gracias por el gran regalo del Cuerpo y la Sangre de Cristo. Cierren la celebración del día cantando o diciendo el famoso himno eucarístico de santo Tomás de Aquino, *Pange Lingua Gloriosi*.

21 de junio de 2020

Duodécimo Domingo del Tiempo Ordinario

Escuchar la palabra

Mateo 10:26–33

En el nombre del Padre, y del Hijo, y del Espíritu Santo.

En aquel tiempo, Jesús dijo a sus apóstoles: "No teman a los hombres. No hay nada oculto que no llegue a descubrirse; no hay nada secreto que no llegue a saberse. Lo que les digo de noche, repítanlo en pleno día, y lo que les digo al oído, pregónenlo desde las azoteas.

No tengan miedo a los que matan el cuerpo, pero no pueden matar el alma. Teman, más bien, a quien puede arrojar al lugar de castigo el alma y el cuerpo.

¿No es verdad que se venden dos pajarillos por una moneda? Sin embargo, ni uno solo de ellos cae por tierra si no lo permite el Padre. En cuanto a ustedes, hasta los cabellos de su cabeza están contados. Por lo tanto, no tengan miedo, porque ustedes valen mucho más que todos los pájaros del mundo.

A quien me reconozca delante de los hombres, yo también lo reconoceré ante mi Padre, que está en los cielos; pero al que me niegue delante de los hombres, yo también lo negaré ante mi Padre, que está en los cielos".

Reflexionar sobre la palabra

Enfatizando la sabiduría de Dios, Jesús instruye a sus apóstoles sobre cómo vivir abiertamente en el amor de Dios. Si Dios cuida de los gorrioncillos, nos cuidará con mayor cariño. No hay nada pequeño para Dios. Solo debemos confiar en él.

...... CAMINO A MISA

¿Cómo se dan cuenta de que Dios los está cuidando?

CAMINO A CASA ......

¿Cómo ha estado Dios junto a ustedes en tiempos de miedo, pesar o pena? ¿Y en los tiempos felices y alegres?

Vivir la palabra

Necesitamos garantías sobre el amor y cuidado de Dios. Es importante mostrar lo valiosa que es su familia; ténganla presente en su oración y sus acciones. Si pasan por problemas o ansiedades particulares, tráigalos ante Dios, y ore con su familia. Si hay algo con lo que alguno de sus hijos está luchando, aliéntelo a pedirle a Dios su protección y ayuda. Confíen en el cuidado de Dios.

28 de junio de 2020

Decimotercer Domingo del Tiempo Ordinario

Escuchar la palabra

Mateo 10:37–42

En el nombre del Padre, y del Hijo, y del Espíritu Santo.

En aquel tiempo, Jesús dijo a sus apóstoles: "El que ama a su padre o a su madre más que a mí, no es digno de mí; el que ama a su hijo o a su hija más que a mí, no es digno de mí; y el que no toma su cruz y me sigue, no es digno de mí.

El que salve su vida la perderá y el que la pierda por mí, la salvará.

Quien los recibe a ustedes me recibe a mí; y quien me recibe a mí, recibe al que me ha enviado.

El que recibe a un profeta por ser profeta, recibirá recompensa de profeta; el que recibe a un justo por ser justo, recibirá recompensa de justo.

Quien diere, aunque no sea más que un vaso de agua fría a uno de estos pequeños, por ser discípulo mío, yo les aseguro que no perderá su recompensa".

Reflexionar sobre la palabra

Jesús es muy claro. Debemos amar a Dios más de lo que amamos a nuestra familia, más de lo que amamos nuestra propia vida. Esto significa poner a Dios antes que todo: obligaciones familiares, trabajo, diversión. Significa concentrarse en Dios todo el tiempo, no limitar nuestro amor a Dios a momentos convencionales. Paradójicamente, cuando amamos a Dios lo más que podemos, nuestra capacidad de amor se expande. Amamos a todos mejor; prodigamos a nuestra familia, amigos, compañeros de trabajo y vecinos con el amor de Dios, un amor sin límites, paciente e incondicional.

...... CAMINO A MISA

¿Qué significa para ustedes amar?

CAMINO A CASA ......

¿Qué significa para ustedes amar a Dios más que a la propia familia o a uno mismo? ¿Cómo se nota este amor? ¿Cómo le enseña Dios a amar a los otros?

Vivir la palabra

Dios nos mira de manera diferente a como nos vemos nosotros. Pida a sus hijos que dibujen cómo creen que Dios los ve. Luego, discuta qué significa "mirar con los ojos de Dios" a los demás. ¿Cómo mostraría Dios amor a los mejores amigos de ustedes? ¿Y al que intimida (*bully*) en la escuela? ¿Y al pordiosero de la calle? Mirar con los ojos de Dios, ¿les cambia su opinión de estas personas?

5 de julio de 2020

Decimocuarto Domingo del Tiempo Ordinario

Escuchar la palabra

Mateo 11:25–30

En el nombre del Padre, y del Hijo, y del Espíritu Santo.

En aquel tiempo, Jesús exclamó: "¡Te doy gracias, Padre, Señor del cielo y de la tierra, porque has escondido estas cosas a los sabios y entendidos, y las has revelado a la gente sencilla! Gracias, Padre, porque así te ha parecido bien.

El Padre ha puesto todas las cosas en mis manos. Nadie conoce al Hijo sino el Padre; nadie conoce al Padre sino el Hijo y aquel a quien el Hijo se lo quiera revelar.

Vengan a mí, todos los que están fatigados y agobiados por la carga y yo los aliviare'. Tomen mi yugo sobre ustedes y aprendan de mí, que soy manso y humilde de corazón, y encontrarán descanso, porque mi yugo es suave y mi carga ligera".

Reflexionar sobre la palabra

Todos nos hemos sentido a veces agobiados por la preocupación, el miedo, la ansiedad y la desesperación. Cuando nos aferramos a estas cargas, se nos vuelven más y más pesadas hasta que nos inmovilizan. Jesús nos pide a ir hasta él, a compartir nuestras cargas con él y permitirle aligerar el peso que llevamos. Cuando nos abrimos a Jesús, y le pedimos que nos ayude a soportar incluso nuestra pesada oscuridad y vergüenza, él nos da descanso, luz y paz. ¿Cómo confían en Jesús con sus cargas?

...... CAMINO A MISA

Jesús dice en el evangelio: "Vengan a mí, todos los fatigados y agobiados, porque yo les daré descanso". ¿Qué le hacen pensar estas palabras?

CAMINO A CASA ......

¿Qué pesos (físicos, emocionales, o espirituales) quieren depositar en Jesús?

Vivir la palabra

Ponga agua en dos galones de leche vacías (uno por niño, si es posible) lo suficiente agua para que tengan algo de peso pero no demasiado para el niño. Pida a sus hijos que los carguen y que digan si se sienten pesados. Pida a sus hijos que levanten un galón y que lo sostengan directamente frente a ellos, a la altura de sus ojos. Use un cronómetro para ver quién puede sostener el galón por más tiempo. Luego discuta las siguientes preguntas: ¿Por qué los galones se sienten más pesados cuanto más tiempo pasa? ¿Cómo se relaciona este sentimiento con la lectura del evangelio?

12 de julio de 2020

Decimoquinto Domingo del Tiempo Ordinario

Escuchar la palabra

Mateo 13:1–9

En el nombre del Padre, y del Hijo, y del Espíritu Santo.

Un día salió Jesús de la casa donde se hospedaba y se sentó a la orilla del mar. Se reunió en torno suyo tanta gente, que él se vio obligado a subir a una barca, donde se sentó, mientras la gente permanecía en la orilla. Entonces Jesús les habló de muchas cosas en parábolas y les dijo:

"Una vez salió un sembrador a sembrar, y al ir arrojando la semilla, unos granos cayeron a lo largo del camino; vinieron los pájaros y se los comieron. Otros granos cayeron en terreno pedregoso, que tenía poca tierra; ahí germinaron pronto, porque la tierra no era gruesa; pero cuando subió el sol, los brotes se marchitaron, y como no tenían raíces, se secaron. Otros cayeron entre espinos, y cuando los espinos crecieron, sofocaron las plantitas. Otros granos cayeron en tierra buena y dieron fruto: unos, ciento por uno; otros, sesenta; y otros, treinta. El que tenga oídos, que oiga".

Reflexionar sobre la palabra

Dios esparce sin cesar la semilla de su Palabra en nuestra vida. En ocasiones diferentes, podríamos ser el camino superficial, las rocas duras, las espinas agresivas o el rico suelo acogedor. Nuestra disposición a la Palabra de Dios conforme pasamos por tiempos fructíferos y tiempos estériles, y experimentamos alegría y tristeza. Dios no nos obliga a escucharlo. Solo si transformamos nuestros corazones en tierra fértil, su Palabra producirá abundantes frutos: más gracia y bondad de las que podamos imaginar.

...... CAMINO A MISA

¿Cómo germinan y crecen las semillas?

CAMINO A CASA ......

Pregunte a sus niños que recuerden qué sucedió con las distintas semillas. ¿Cómo podemos trabajar nuestro corazón para que en éste crezca el amor de Dios?

Vivir la palabra

Un buen recurso para que los niños mediten las Escrituras, particularmente las parábolas, es hacer que dibujen la historia. Prepare algunos papeles y materiales para colorear. Pida a sus hijos que se concentren en el evangelio de hoy sentándose cómodamente y prestando atención a lo que leerán. (Use el pasaje impreso en la página anterior). Luego, invítelos a dibujar los cuatro lugares diferentes donde cayó la semilla, usando una página por área. No hay necesidad de explicar nada en este momento; deje que los niños simplemente dibujen y mediten en la Palabra.

19 de julio de 2020

Decimosexto Domingo del Tiempo Ordinario

Escuchar la palabra

Mateo 13:24–30

En el nombre del Padre, y del Hijo, y del Espíritu Santo.

En aquel tiempo, Jesús propuso esta parábola a la muchedumbre: "El Reino de los cielos se parece a un hombre que sembró buena semilla en su campo; pero mientras los trabajadores dormían, llegó un enemigo del dueño, sembró cizaña entre el trigo y se marchó. Cuando crecieron las plantas y se empezaba a formar la espiga, apareció también la cizaña.

Entonces los trabajadores fueron a decirle al amo: 'Señor, ¿qué no sembraste buena semilla en tu campo? ¿De dónde, pues, salió esta cizaña?' El amo les respondió: 'De seguro lo hizo un enemigo mío'. Ellos le dijeron: '¿Quieres que vayamos a arrancarla?' Pero él les contestó: 'No. No sea que al arrancar la cizaña, arranquen también el trigo. Dejen que crezcan juntos hasta el tiempo de la cosecha y, cuando llegue la cosecha, diré a los segadores: Arranquen primero la cizaña y átenla en gavillas para quemarla; y luego almacenen el trigo en mi granero' ".

Reflexionar sobre la palabra

Estamos rodeados de malas hierbas: nuestros pecados y fracasos propios, dolores y angustias, pero también nos rodean las malas acciones de otros y los desastres del mundo. Estas hierbas parecen invadir todo lo bueno en nosotros y en el mundo. Con todo, Jesús nos invita a confiar en Dios, a dejar que él distinga el trigo de la mala hierba. El trigo todavía puede dar buenos frutos, incluso enredado en la maleza. Dios, el sembrador y el que cultiva el trigo, es también juez justo que cosechará el trigo a su debido tiempo.

...... CAMINO A MISA

¿Alguna vez alguien que usted conoce ha visto el trabajo o un proyecto interrumpido por alguien o algo? Cuente a sus hijos sobre eso y pídales que escuchen con atención el evangelio.

CAMINO A CASA ......

Pregunte de qué trató el evangelio de hoy y qué fue lo que les llamó más la atención. ¿Cómo se conecta con lo que contó antes de la misa?

Vivir la palabra

Nuestro mundo no es blanco y negro. No siempre es fácil saber qué es correcto o bueno hacer. En esos momentos, es importante orar y abrirnos a la guía del Espíritu Santo. Aunque el mal existe en el mundo y suceden cosas malas, Dios nos ama y perdona nuestros pecados cuando se lo pedimos. Debemos vivir dedicados a amar a Dios y a los demás. Den gracias a Dios por su guía y su amor incondicional.

26 de julio de 2020

Decimoséptimo Domingo del Tiempo Ordinario

Escuchar la palabra

Mateo 13:44–52

En el nombre del Padre, y del Hijo, y del Espíritu Santo.

En aquel tiempo, Jesús dijo a sus discípulos: "El Reino de los cielos se parece a un tesoro en un campo. El que lo encuentra lo vuelve a esconder y, lleno de alegría, va y vende cuanto tiene y compra aquel campo.

El Reino de los cielos se parece también a un comerciante en perlas finas que, al encontrar una perla muy valiosa, va y vende cuanto tiene y la compra.

También se parece el Reino de los cielos a la red que los pescadores echan en el mar y recoge toda clase de peces. Cuando se llena la red, los pescadores la sacan a la playa y se sientan a escoger los pescados; ponen los buenos en canastos y tiran los malos. Lo mismo sucederá al final de los tiempos: vendrán los ángeles, separarán a los malos de los buenos y los arrojarán al horno encendido. Allí será el llanto y la desesperación.

¿Han entendido todo esto?" Ellos le contestaron: "Sí". Entonces él les dijo: "Por eso, todo escriba instruido en las cosas del Reino de los cielos es semejante al padre de familia, que va sacando de su tesoro cosas nuevas y cosas antiguas".

Reflexionar sobre la palabra

Jesús explica el Reino de los Cielos como algo invaluable por el que vale la pena empeñarlo todo. Nos enseña que el Reino de Dios es el mayor de los tesoros. ¿A qué compararía usted el Reino de los Cielos? Para poseer el Reino de Dios, debemos estar dispuestos a dar todo lo que tenemos, a arriesgar nuestros refugios y seguridades de este mundo, por el otro mundo.

...... CAMINO A MISA

Pregunte a sus niños de qué están dispuestos a separarse para estar con Dios.

CAMINO A CASA ......

Dios es más generoso de lo que imaginamos. ¿De qué forma ha sido Dios generoso con usted?

Vivir la palabra

Haga una caja del tesoro para su mesa de oración. Reúna a su familia y lean la parábola de la perla. Hablen sobre lo que significa que el mercader vendió todo lo que tenía; ¿también sus muebles?, ¿su ropa?, ¿su casa? ¿Por qué estaría él dispuesto a hacer tanto? ¿Cuál tesoro hemos encontrado en Dios? Anote las respuestas en papelitos y guárdelos en la caja del tesoro.

2 de agosto de 2020

Decimoctavo Domingo del Tiempo Ordinario

Escuchar la palabra

Mateo 14:15–20

En el nombre del Padre, y del Hijo, y del Espíritu Santo.

Como ya se hacía tarde, se acercaron sus discípulos a decirle: "Estamos en despoblado y empieza a oscurecer. Despide a la gente para que vayan a los caseríos y compren algo de comer". Pero Jesús les replicó: "No hace falta que vayan. Denles ustedes de comer". Ellos le contestaron: "No tenemos aquí más que cinco panes y dos pescados". Él les dijo: "Tráiganmelos".

Luego mandó que la gente se sentara sobre el pasto. Tomó los cinco panes y los dos pescados, y mirando al cielo, pronunció una bendición, partió los panes y se los dio a los discípulos para que los distribuyeran a la gente. Todos comieron hasta saciarse.

Reflexionar sobre la palabra

Jesús recibe una modesta aportación de cinco panes y dos peces y la transforma en alimento para todos. De igual manera, él nos transforma a cada uno de nosotros, cuando le entregamos todo lo que tenemos. Él toma nuestro don para convertirnos en su cuerpo y alimentar al mundo. El evangelio de hoy es un relato maravilloso sobre la abundancia que proviene de confiar en Dios y compartir lo que tenemos. Nos recuerda que nuestras necesidades serán satisfechas y nuestras hambres saciadas solo viviendo en relación con Dios y con los demás.

...... CAMINO A MISA

¿Es fácil compartir? ¿Qué le parece lo más difícil de compartir de lo que tiene usted? ¿Por qué?

CAMINO A CASA ......

Invite a sus hijos a compartir sus ideas sobre el evangelio.

Vivir la palabra

De un libro de cuentos puede contar una historia como la de este link https://www.youtube.com/watch?v=1clMS9 avkKU. Luego relacionen el cuento con el relato del evangelio de hoy. ¿Cómo se debieron sentir los discípulos cuando Jesús les dijo que dieran de comer a la multitud ellos mismos? ¿Qué pensarían cuando ya habían alimentado a la multitud? ¿Cómo nos transforma Jesús a cada uno de nosotros? ¿Cómo alimenta a usted a los demás?

9 de agosto de 2020

Decimonoveno Domingo del Tiempo Ordinario

Escuchar la palabra

Mateo 14:26–31

En el nombre del Padre, y del Hijo, y del Espíritu Santo.

A la madrugada, Jesús fue hacia ellos, caminando sobre el agua. Los discípulos, al verlo andar sobre el agua, se espantaron y decían: "¡Es un fantasma!" Y daban gritos de terror. Pero Jesús les dijo enseguida: "Tranquilícense y no teman. Soy yo".

Entonces le dijo Pedro: "Señor, si eres tú, mándame ir a ti caminando sobre el agua". Jesús le contestó: "Ven". Pedro bajó de la barca y comenzó a caminar sobre el agua hacia Jesús; pero al sentir la fuerza del viento, le entró miedo, comenzó a hundirse y gritó: "¡Sálvame Señor!" Inmediatamente Jesús le tendió la mano, lo sostuvo y le dijo: "Hombre de poca fe, ¿por qué dudaste?"

Reflexionar sobre la palabra

"¡Sálvame, Señor!". ¿Con qué frecuencia suplicamos como Pedro? Se vuelve grito incontenible al sentirnos abrumados, ansiosos o ahogados en responsabilidades. Aunque Pedro dudaba y tenía miedo, como nosotros a veces, él esperaba en el Señor. Él se atrevió a caminar sobre el agua hacia Jesús, y cuando la duda lo hundía, extendió su mano y sintió a Jesús sujetándolo con fuerza. No lo dejó ahogarse en las aguas turbulentas, ni a nosotros tampoco. Jesús está allí para sostenernos con firmeza y calmar todos nuestros miedos. La fe es la diferencia en nuestra vida. Con ésta, respondemos valientemente a la adversidad y a la inquietud.

...... CAMINO A MISA

¿Se ha sentido usted atemorizado o preocupado? ¿Cómo supera sus miedos y angustias?

CAMINO A CASA ......

¿Cómo ha percibido la presencia de Jesús en tiempos de angustia?

Vivir la palabra

Jesús le extendió su mano a Pedro cuando Pedro se hundía en el agua. Hablen sobre lo que significa "echar una mano". ¿A quién podrían ayudar con una mano amiga esta semana? Pida a todos en su familia que ayuden cada día en las diferentes tareas de la semana y que hablen de eso en la mesa.

16 de agosto de 2020

Vigésimo Domingo del Tiempo Ordinario

Escuchar la palabra

Mateo 15:21–28

En el nombre del Padre, y del Hijo, y del Espíritu Santo.

En aquel tiempo, Jesús se retiró a la comarca de Tiro y Sidón. Entonces una mujer cananea le salió al encuentro y se puso a gritar: "Señor, hijo de David, ten compasión de mí. Mi hija está terriblemente atormentada por un demonio". Jesús no le contestó una sola palabra; pero los discípulos se acercaron y le rogaban: "Atiéndela, porque viene gritando detrás de nosotros". Él les contestó: "Yo no he sido enviado sino a las ovejas descarriadas de la casa de Israel".

Ella se acercó entonces a Jesús, y postrada ante él, le dijo: "¡Señor, ayúdame!" Él le respondió: "No está bien quitarles el pan a los hijos para echárselo a los perritos". Pero ella replicó: "Es cierto, Señor; pero también los perritos se comen las migajas que caen de la mesa de sus amos". Entonces Jesús le respondió: "Mujer, ¡qué grande es tu fe! Que se cumpla lo que deseas". Y en aquel mismo instante quedó curada su hija.

Reflexionar sobre la palabra

Escuchamos otro relato sobre la fuerza de la fe. Cuando la cananea suplica la curación de su hija, Jesús le dice que no es correcto echar la comida de los hijos a los perros. Pero, ella replica que no necesita esa comida, las sobras serán suficientes. Nosotros, bautizados, somos los invitados a la fiesta en la mesa de Cristo. La comida es tan poderosa que una miga nos es suficiente.

...... CAMINO A MISA

Pida a su familia que se fije en el momento de la misa cuando se dice: "Señor, no soy digno de que entres en mi casa, pero una palabra tuya bastará para sanarme".

CAMINO A CASA ......

¿Cómo hacen eco las palabras antes de recibir la Comunión a lo que escuchamos en el evangelio de hoy?

Vivir la palabra

Dios escucha lo que le pedimos en oración, y nos da la curación que necesitamos. En casa, lean el pasaje del evangelio de la página previa, en voz alta para sus hijos. Pídales imaginar que aquella mujer siguió a Jesús unas dos horas, rogándole que sanara a su hija. A veces en la vida, tenemos que ser muy enfocados y persistentes, como esa mujer con Jesús. Pidamos una fe persistente en Dios.

23 de agosto de 2020

Vigesimoprimer Domingo del Tiempo Ordinario

Escuchar la palabra

Mateo 16:15–18

En el nombre del Padre, y del Hijo, y del Espíritu Santo.

[Jesús] les preguntó: "Y ustedes, ¿quién dicen que soy yo?" Simón Pedro tomó la palabra y le dijo: "Tú eres el Mesías, el Hijo de Dios vivo".

Jesús le dijo entonces: "¡Dichoso tú, Simón, hijo de Juan, porque esto no te lo ha revelado ningún hombre, sino mi Padre, que está en los cielos! Y yo te digo a ti que tú eres Pedro y sobre esta piedra edificaré mi Iglesia. Los poderes del infierno no prevalecerán sobre ella".

Reflexionar sobre la palabra

Con Pedro, al profesar que Jesús es el Hijo del Dios vivo, nos obligamos a cambiar. Si creemos de verdad que Dios ha sacrificado por amor a nosotros todo, incluso la vida, nosotros, hechos a imagen y semejanza suya, estamos llamados a hacer lo mismo. Un amor tan radical puede doler: trastornará nuestra vida y nos volverá menos cómodos. Al amar como Cristo ama, también edificamos su Iglesia. Al proclamar quién es Jesús, también decimos lo que somos: ¿Quién soy? ¿Quién estoy llamado a ser?

...... CAMINO A MISA

Pida a sus hijos compartir lo que saben de san Pedro. Anticípeles que en el evangelio de hoy, se le confiará a Pedro el cuidado de la Iglesia por lo que respondió a la pregunta de Jesús.

CAMINO A CASA ......

San Pedro es el primer Papa de la Iglesia. Fue agraciado para reconocer que Jesús es el Cristo. ¿Quién es nuestro Papa actual? ¿Cómo continúa la tarea de Jesús?

Vivir la palabra

El papa Francisco, en 2016, escribió *Amoris laetitia* para orientar a la Iglesia sobre cómo cuidar a las familias. Él reflexiona profundamente sobre el significado del amor en la realidad cotidiana de la vida familiar. Discuta con su cónyuge cómo están educando a sus hijos para ser buenos cristianos. ¿Cómo aprendemos en nuestra familia los valores cristianos? ¿Les enseñamos a ser sensibles ante los sufrimientos de los demás?

30 de agosto de 2020

Vigesimosegundo Domingo del Tiempo Ordinario

Escuchar la palabra

Mateo 16:21-25

En el nombre del Padre, y del Hijo, y del Espíritu Santo.

En aquel tiempo, comenzó Jesús a anunciar a sus discípulos que tenía que ir a Jerusalén para padecer allí mucho de parte de los ancianos, de los sumos sacerdotes y de los escribas; que tenía que ser condenado a muerte y resucitar al tercer día.

Pedro se lo llevó aparte y trató de disuadirlo, diciéndole: "No lo permita Dios, Señor. Eso no te puede suceder a ti". Pero Jesús se volvió a Pedro y le dijo: "¡Apártate de mí, Satanás, y no intentes hacerme tropezar en mi camino, porque tu modo de pensar no es el de Dios, sino el de los hombres!".

Luego Jesús dijo a sus discípulos: "El que quiera venir conmigo, que renuncie a sí mismo, que tome su cruz y me siga. Pues el que quiera salvar su vida, la perderá; pero el que pierda su vida por mí, la encontrará".

Reflexionar sobre la palabra

Pedro respondió a Jesús como lo habría hecho cualquiera de nosotros: "¡No permita Dios que te pase algo malo!". Fue así como Pedro, la roca de la iglesia, se convirtió en un obstáculo. No vio con los ojos de Dios, para aceptar la lógica de la cruz: que Dios sanaría por la muerte en la cruz, y traería paz desde la violencia y ofrecería esperanza desde el sufrimiento. No podemos evitar el dolor y la desilusión. Sí, en cambio, podemos fundar nuestras expectativas y deseos y llevar nuestras cargas con esperanza.

...... CAMINO A MISA

¿Qué significa sufrir? ¿Es bueno o malo todo sufrimiento?

CAMINO A CASA ......

Hable con sus hijos sobre cómo empatizar con el sufrimiento de otros (puede referirse a la conversación que tuvo con su cónyuge sobre la educación cristiana de sus hijos de la semana pasada). ¿Cómo reaccionamos cuando vemos a otros tristes o en dolor?

Vivir la palabra

Hablen sobre lo que Jesús quiere decir con "toma tu cruz". Para cada uno, ¿cuál es su cruz? ¿Cómo la toma? ¿Por qué creen que solo así se sigue a Jesús? Anímense todos los miembros de la familia a usar o tener una cruz consigo durante toda la semana que nos haga recordar las palabras de Jesús.

Oraciones Cotidianas

La señal de la cruz

La señal de la cruz es la primera oración y la última de cada día, y de toda la vida cristiana. Es una oración del cuerpo y de palabras. Cuando fuimos presentados para ser bautizados, la comunidad hizo este signo sobre nuestro cuerpo, por vez primera. Los papás acostumbran hacer esta señal sobre sus hijos, y nosotros nos signamos cada día, y también a los que amamos. Al morir, nuestros seres queridos harán esa señal sobre nosotros, por última vez.

En el nombre del Padre,

y del Hijo,

y del Espíritu Santo. Amén.

La Oración del Señor

La Oración del Señor o padrenuestro, es una oración muy importante para el cristiano, porque Jesús mismo la enseñó a sus discípulos, quienes, a su vez, la enseñaron a los demás miembros de la Iglesia. Hoy día, esta oración forma parte de la misa, del Rosario y la recitamos en toda ocasión. Contiene siete peticiones. Las primeras tres le piden a Dios que sea glorificado y alabado, y las cuatro restantes que provea a nuestras necesidades espirituales y corporales.

Padre nuestro, que estás en el cielo,
santificado sea tu Nombre;
venga a nosotros tu reino;
hágase tu voluntad en la tierra como en el cielo.
Danos hoy nuestro pan de cada día;
perdona nuestras ofensas,
como también nosotros perdonamos
a los que nos ofenden;
no nos dejes caer en la tentación,
y líbranos del mal. Amén.

El Credo de los Apóstoles

El Credo apostólico es uno de los más antiguos que conservamos. Se piensa que habría sido escrito hacia el siglo segundo. Este credo, también conocido como símbolo, es más breve que el niceno; expresa con mucha claridad la fe en Cristo y en la Santísima Trinidad, Padre, Hijo y Espíritu Santo. Algunas veces este credo se recita en la misa, especialmente en las misas de niños, y al iniciar el rezo del rosario.

Creo en Dios, Padre Todopoderoso,

Creador del cielo y de la tierra.

Creo en Jesucristo su único Hijo, nuestro Señor,

que fue concebido por obra y gracia del Espíritu Santo,

nació de Santa María Virgen,

padeció bajo el poder de Poncio Pilato,

fue crucificado, muerto y sepultado,

descendió a los infiernos,

al tercer día resucitó de entre los muertos,

subió a los cielos y está sentado a la derecha de Dios Padre, todopoderoso.

Desde allí va a venir a juzgar a vivos y muertos.

Creo en el Espíritu Santo, la santa Iglesia católica

la comunión de los santos,

el perdón de los pecados,

la resurrección de la carne

y la vida eterna. Amén.

El Credo Niceno

El Credo Niceno fue escrito en el Concilio de Nicea, en el año 325, cuando los obispos de la Iglesia se reunieron para articular la verdadera fe en Cristo y su relación con Dios Padre. Todos los fieles deben conocer este credo o símbolo, pues resume la fe de la Iglesia. Lo recitamos en misa.

Creo en un solo Dios,
Padre todopoderoso, Creador del cielo y de la tierra,
de todo lo visible y lo invisible.
Creo en un solo Señor, Jesucristo, Hijo único de Dios,
nacido del Padre antes de todos los siglos:
Dios de Dios, Luz de Luz,
Dios verdadero de Dios verdadero,
engendrado, no creado,
de la misma naturaleza del Padre,
por quien todo fue hecho;
que por nosotros lo hombres,
y por nuestra salvación bajó del cielo,
y por obra del Espíritu Santo
se encarnó de María, la Virgen, y se hizo hombre;
y por nuestra causa fue crucificado
en tiempos de Poncio Pilato;
padeció y fue sepultado,
y resucitó al tercer día, según las Escrituras,
y subió al cielo, y está sentado a la derecha del Padre;

y de nuevo vendrá con gloria

para juzgar a vivos y muertos,

y su reino no tendrá fin.

Creo en el Espíritu Santo, Señor y dador de vida,

que procede del Padre y del Hijo,

que con el Padre y el Hijo

recibe una misma adoración y gloria,

y que habló por los profetas.

Creo en la Iglesia,

que es una, santa, católica y apostólica.

Confieso que hay un solo bautismo para el perdón de los pecados.

Espero la resurrección de los muertos

y la vida del mundo futuro.

Amén.

Gloria (Doxología)

Esta breve plegaria está dirigida a la Santísima Trinidad. Se dice al inicio de la Liturgia de las Horas, y para concluir el rezo de los salmos, o la decena de avemarías del rosario. Puede rezarse en cualquier momento.

Gloria al Padre,

y al Hijo,

y al Espíritu Santo.

Como era en el principio,

Ahora y siempre, por los siglos de los siglos. Amén.

Avemaría

La primera línea de esta plegaria es el saludo del ángel Gabriel a la Virgen María, al momento de anunciarle que sería madre del Redentor (ver Lucas 1:28). Las dos líneas siguientes son del saludo de Isabel al momento de visitarla (ver Lucas 1:42). Las cuatro líneas finales confiesan la maternidad divina de María y su papel de intercesora nuestra. Las decenas repetidas de esta plegaria forman el rosario.

Dios te salve María, llena eres de gracia, el Señor es contigo;

bendita tú eres entre todas las mujeres,

y bendito es el fruto de tu vientre, Jesús.

Santa María, Madre de Dios,

ruega por nosotros, pecadores,

ahora y en la ahora

de nuestra muerte. Amén.

Bendición de los alimentos

De muchas maneras, las familias agradecen a Dios por el alimento; algunas con sus propias palabras, otras se toman de las manos y cantan o recitan alguna fórmula tradicional. Esta se puede decir antes de iniciar a comer, y después de la Señal de la cruz.

Bendice, Señor, estos dones,

las manos que los prepararon

y el trabajo de nuestros hermanos.

Da pan a los que tienen hambre,

y hambre de ti a los que tenemos pan.

Acción de gracias por los alimentos

Enseñe a sus hijos a dar gracias a Dios después de comer. Puede usar estas palabras, después de hacer la señal de la cruz.

Gracias, Señor, por el pan,

y las gracias que nos das. Amén.